CB058754

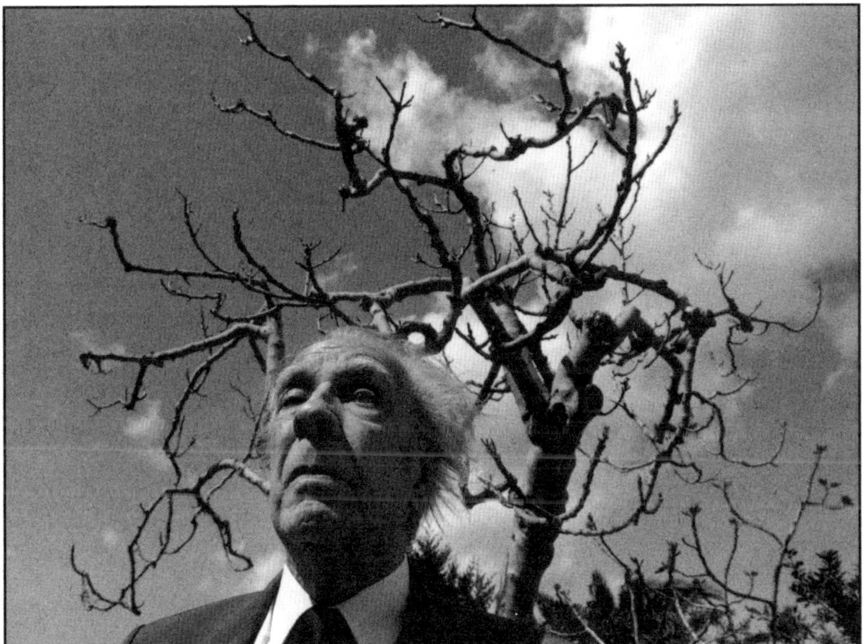

biblioteca borges

coordenação editorial
davi arrigucci jr.
heloisa jahn
jorge schwartz
maria emília bender

o aleph (1949)
jorge luis borges

tradução davi arrigucci jr.

18ª reimpressão

COMPANHIA DAS LETRAS

Copyright © 1996, 2005 by María Kodama
Todos os direitos reservados

título original
el aleph (1949)
capa e projeto gráfico
warrakloureiro
foto página 1
ferdinando scianna
magnum photos
preparação
márcia copola
revisão
isabel jorge cury
valquíria della pozza
atualização ortográfica
verba editorial

Dados Internacionais de Catalogação na Publicação (CIP)
(Câmara Brasileira do Livro, SP, Brasil)

> Borges, Jorge Luis, 1899-1986.
> O aleph (1949) / Jorge Luis Borges; tradução Davi Arrigucci Jr. — São Paulo: Companhia das Letras, 2008.
>
> Título original: El aleph (1949)
> ISBN 978-85-359-1202-9
>
> 1. Contos argentinos I. Título

| 08-01775 | CDD-ar863 |

Índice para catálogo sistemático:
1. Contos: Literatura argentina   ar863

---

todos os direitos desta edição reservados à
EDITORA SCHWARCZ S.A.
Rua Bandeira Paulista, 702, cj. 32
04532-002 — São Paulo — SP
telefone: (11) 3707-3500
www.companhiadasletras.com.br
www.blogdacompanhia.com.br
facebook.com/companhiadasletras
instagram.com/companhiadasletras
twitter.com/cialetras

o imortal 7
o morto 26
os teólogos 33
história do guerreiro e da cativa 43
biografia de tadeo isidoro cruz (1829-74) 49
emma zunz 53
a casa de astérion 60
a outra morte 64
deutsches requiem 73
a busca de averróis 82
o zahir 93
a escrita do deus 104
aben hakam, o bokari, morto em seu labirinto 111
os dois reis e os dois labirintos 122
a espera 124
o homem no umbral 129
o aleph 136

epílogo 154

o imortal

Salomon saith: There is no new thing upon the earth. *So that as Plato had an imagination,* that all knowledge was but remembrance; *so Salomon giveth his sentence,* that all novelty is but oblivion.

Francis Bacon, *Essays*, LVIII

Em Londres, no início do mês de junho de 1929, o antiquário Joseph Cartaphilus, de Esmirna, ofereceu à princesa de Lucinge os seis volumes *in-quarto* menor (1715-20) da *Ilíada* de Pope. A princesa adquiriu-os; ao recebê-los, trocou algumas palavras com ele. Era, nos diz, um homem acabado e terroso, de olhos cinza e barba cinza, de traços singularmente vagos. Manejava com fluidez e ignorância várias línguas; em pouquíssimos minutos passou do francês ao inglês e do inglês a uma conjunção enigmática de espanhol de Salonica com português de Macau. Em outubro, a princesa ouviu de um passageiro do *Zeus* que Cartaphilus tinha morrido no mar, ao regressar a Esmirna, e que o haviam enterrado na ilha de Ios. No último tomo da *Ilíada*, ela encontrou este manuscrito.

O original está redigido em inglês e é pródigo em latinismos. A versão que oferecemos é literal.

I

Que eu me lembre, minhas provações começaram num jardim de Tebas Hecatômpilos, quando Diocleciano era imperador. Eu tinha militado (sem glória) nas recentes guerras egípcias, como tribuno de uma legião que esteve aquartelada em Berenice, defronte do mar Vermelho: a febre e a magia consumiram muitos homens que, magnânimos, cobiçavam o aço. Os mauritanos foram vencidos; a terra que antes as cidades rebeldes ocupavam foi eternamente dedicada aos deuses plutônicos; Alexandria, debelada, implorou em vão a misericórdia do César; antes de um ano, as legiões relataram o triunfo; eu, porém, mal consegui divisar o rosto de Marte. Essa privação me magoou e foi talvez a causa que me impeliu a descobrir, através de temerosos e difusos desertos, a secreta Cidade dos Imortais.

Minhas provações começaram, como mencionei, num jardim de Tebas. A noite toda não dormi, pois algo estava lutando em meu coração. Levantei-me pouco antes do amanhecer; meus escravos dormiam, a lua tinha a mesma cor da infinita areia. Um cavaleiro exausto e ensanguentado vinha do oriente. A alguns passos de mim, rolou do cavalo. Com uma tênue voz insaciável perguntou-me em latim o nome do rio que banhava os muros da cidade. Respondi-lhe que era o Egito, alimentado pelas chuvas. "É outro o rio que procuro", replicou tristemente, "o rio secreto que purifica os homens da morte." Um sangue escuro manava de seu peito. Disse-me que sua pátria era uma montanha que está do outro lado do Ganges e que nela diziam que, se alguém caminhasse para o ocidente, onde o mundo acaba, chegaria ao rio cujas águas dão a imortalidade. Acrescentou que na margem posterior se ergue a Cidade dos Imortais, rica em baluartes e anfiteatros e templos. Antes da aurora morreu, mas tomei a decisão de descobrir a cidade e o rio. Interrogados pelo algoz, alguns prisioneiros mauritanos confirmaram o relato do viajante; alguém recordou a planície elísia, no término da Terra, onde a vida dos homens é perdurável; outro, os cimos onde nasce o Pactolo, cujos moradores vivem um século. Em Roma, conversei com filósofos que sentiram que aumentar a vida dos homens era aumentar sua agonia e multiplicar o número de suas mortes. Ignoro se algum dia acreditei na Cidade dos Imortais: penso que então me bastou o trabalho de procurá-la. Flávio, procônsul da Getúlia, entregou-me duzentos soldados para o empreendimento. Também recrutei mercenários, que se diziam conhecedores dos caminhos e foram os primeiros a desertar.

Fatos ulteriores deformaram até o inextricável a lembrança de nossas primeiras jornadas. Partimos de Arsínoa e entramos no deserto em brasa. Atravessamos o país dos trogloditas, que devoram serpentes e carecem do comércio da palavra; o dos garamantes, que têm mulheres em comum e se alimentam de leões; o dos augilas, que só veneram o Tártaro. Exaurimos outros desertos, onde a areia é negra, onde o viajante deve usurpar as horas da noite, pois o fervor do dia é intolerável. Divisei de longe a montanha que deu nome ao Oceano: em suas ladeiras cresce o eufórbio, que anula os venenos; no cume, habitam os sátiros, nação de homens bestiais e rústicos, inclinados à luxúria. Que aquelas regiões bárbaras, onde a terra é mãe de monstros, pudessem abrigar em seu seio uma cidade famosa pareceu a todos nós inconcebível. Prosseguimos a marcha, pois teria sido uma afronta retroceder. Alguns temerários dormiram com o rosto exposto à lua; a febre os fez arder; na água deteriorada das cisternas outros beberam a loucura e a morte. Começaram então as deserções; imediatamente depois, os motins. Para reprimi-los, não vacilei diante do exercício da severidade. Procedi retamente, mas um centurião me advertiu de que os sediciosos (ávidos de vingar a crucificação de um deles) maquinavam minha morte. Fugi do acampamento com os poucos soldados que me eram fiéis. No deserto os perdi, em meio aos redemoinhos de areia e à vasta noite. Uma flecha cretense me feriu. Vários dias errei sem encontrar água, ou um único dia enorme, multiplicado pelo sol, pela sede e pelo temor da sede. Deixei o caminho ao arbítrio de meu cavalo. No alvorecer, o horizonte ficou eriçado de pirâmides e torres. Sonhei, insuportavelmente, com um labirinto exíguo e nítido: no centro havia um cântaro; minhas mãos quase o tocavam, meus olhos o viam, mas tão intrincadas e perplexas eram as curvas, que eu sabia que ia morrer antes de alcançá-lo.

II

Ao me desenredar afinal desse pesadelo, vi-me deitado e manietado num nicho de pedra oblongo, não maior que uma sepultura comum, superficialmente escavado no íngreme declive de uma montanha. Os lados eram úmidos, polidos antes pelo tempo que pela indústria. Senti no peito um doloroso latejar, senti que a sede me abrasava. Ergui--me e gritei fracamente. Ao pé da montanha se estendia sem rumor um riacho impuro, atravancado por escombros e areia; na margem oposta resplandecia (sob o último sol ou sob o primeiro) a evidente Cidade dos Imortais. Vi muros, arcos, frontispícios e foros: o fundamento era uma meseta de pedra. Uma centena de nichos irregulares, análogos ao meu, sulcava a montanha e o vale. Na areia havia poços de pouca fundura; desses buracos mesquinhos (e dos nichos) emergiam homens de pele cinza, de barba negligente, despidos. Julguei reconhecê-los: pertenciam à estirpe bestial dos trogloditas, que infestam as margens do golfo Arábico e as grutas etíopes; não me espantei que não falassem e que devorassem serpentes.

A urgência da sede me tornou temerário. Considerei que estava a uns trinta pés da areia; atirei-me, os olhos fechados, as mãos atadas nas costas, montanha abaixo. Enfiei o rosto ensanguentado na água escura. Bebi como bebem os animais. Antes de me perder de novo no sono e nos delírios, repeti, inexplicavelmente, algumas palavras gregas: "Os ricos teucros de Zeleia que bebem a água negra do Esepo...".

Não sei quantos dias e noites rolaram sobre mim. Dolorido, incapaz de recuperar o abrigo das cavernas, nu na ignorada areia, deixei que a lua e o sol brincassem com meu destino aziago. Os trogloditas, infantis na barbárie, não me ajudaram a sobreviver nem a morrer. Roguei--lhes, em vão, que me matassem. Um dia, com o gume de um pedernal cortei minhas ligaduras. Outra vez, levantei e consegui mendigar ou roubar — eu, Marco Flamínio

Rufo, tribuno militar de uma das legiões de Roma — minha primeira detestada ração de carne de serpente. A ânsia de ver os Imortais, de tocar a Cidade sobre-humana, quase não me deixava dormir. Como se penetrassem em meu propósito, tampouco os trogloditas dormiam: no início deduzi que me vigiavam; depois, que tinham se contagiado com minha inquietação, assim como os cães se contagiam. Para me afastar da bárbara aldeia, escolhi a mais pública das horas, o declínio da tarde, quando quase todos os homens emergem das gretas e dos poços e olham o poente, sem vê-lo. Rezei em voz alta, menos para suplicar o favor divino que para intimidar a tribo com palavras articuladas. Atravessei o riacho obstruído pelos bancos de areia e me dirigi à Cidade. De maneira confusa, dois ou três homens me seguiram. Eram (como os demais daquela linhagem) de pequena estatura; não inspiravam medo, mas repulsa. Devo ter contornado algumas depressões irregulares que me pareceram pedreiras; ofuscado pela grandeza da Cidade, eu a julgara próxima. Por volta da meia-noite, pisei, eriçada de formas idolátricas na areia amarela, a sombra negra de seus muros. Uma espécie de horror sagrado me deteve. Tão abominados pelo homem são a novidade e o deserto, que me alegrei de ter sido acompanhado até o fim por um dos trogloditas. Fechei os olhos e aguardei (sem dormir) que raiasse o dia.

Afirmei que a Cidade estava construída sobre uma meseta de pedra. Essa meseta comparável a uma escarpa não era menos árdua que os muros. Gastei, em vão, meus passos: o negro embasamento não deixava ver a menor irregularidade, os muros invariáveis não pareciam consentir uma única porta. A força do dia fez com que eu me refugiasse numa caverna; no fundo havia um poço, no poço uma escada que se abismava rumo à treva inferior. Desci; cheguei, por um caos de sórdidas galerias, a uma vasta câmara circular que mal se via. Naquele porão havia nove portas; oito davam para um labirinto que falazmente desembocava na mesma câmara; a nona (através de outro labirinto) dava numa segunda câmara circular, idêntica à primeira. Ignoro o número total de câmaras; minha desventura e minha ansiedade multiplicaram-nas. O silêncio era hostil e quase perfeito; não havia outro ruído naquelas profundas redes de pedra a não ser o vento subterrâneo, cuja causa não descobri; sem som, fios de água enferrujada se perdiam em meio às gretas. Habituei-me, com horror, àquele mundo duvidoso; julguei incrível que pudesse existir outra coisa além de porões providos de nove portas e de porões compridos que se bifurcam. Ignoro o tempo que tive de caminhar sob a terra; sei que cheguei a confundir, na mesma saudade, a atroz aldeia dos bárbaros e minha cidade natal, entre cachos de uva.

No fundo de um corredor, um muro não previsto me barrou a passagem, uma luz remota caiu sobre mim. Ergui os olhos ofuscados; no centro da vertigem, lá no alto, vi um círculo de céu tão azul que chegou a me parecer de púrpura. Degraus de metal escalavam o muro. O cansaço me relaxava, mas subi, parando às vezes para soluçar tolamente de felicidade. Fui divisando capitéis e astrágalos, frontões triangulares e abóbadas, confusas pompas do granito e do mármore. Assim consegui ascender da cega região de negros labirintos entretecidos até a Cidade resplandecente.

Emergi numa espécie de pracinha; ou melhor, de pátio. Era rodeado por um único edifício de forma irregular e altura variável; a esse edifício heterogêneo pertenciam as diversas cúpulas e colunas. Mais que qualquer outro traço daquele monumento incrível, surpreendeu-me a antiguidade da construção. Senti que era anterior aos homens, anterior à Terra. Aquela notória antiguidade (embora de certo modo terrível para os olhos) pareceu-me adequada ao trabalho de operários imortais. De início cautelosamente, depois com indiferença, enfim com desespero, errei por escadas e pavimentos do inextricável palácio. (Depois averiguei que eram inconstantes a extensão e a altura dos degraus, fato que me fez compreender o singular cansaço que me deram.) "Este palácio é obra dos deuses", pensei primeiro. Explorei os recintos desabitados e corrigi: "Os deuses que o construíram morreram". Notei suas peculiaridades e disse: "Os deuses que o construíram estavam loucos". Disse, bem sei, com uma incompreensível reprovação que era quase um remorso, com mais horror intelectual que medo sensível. À impressão de enorme antiguidade vieram juntar-se outras: a do interminável, do atroz, do complexamente insensato. Eu tinha atravessado um labirinto, mas a nítida Cidade dos Imortais me causou medo e repugnância. Um labirinto é uma casa construída para confundir os homens; sua arquitetura, pródiga em simetrias, está subordinada a essa finalidade. No palácio, que explorei imperfeitamente, a arquitetura carecia de finalidade. Eram numerosos os corredores sem saída, as altas janelas inalcançáveis, as portas colossais que davam para uma cela ou para um poço, as incríveis escadas inversas, com os degraus e a balaustrada para baixo. Outras, aderidas aereamente ao flanco de um muro monumental, morriam sem chegar a lugar algum, depois de duas ou três voltas, na treva superior das cúpulas. Ignoro se todos os exemplos que enumerei são literais; sei que durante muitos anos infestaram meus pesadelos; já não consigo saber se este ou aquele traço é uma transcrição da realidade ou das formas que desatinaram minhas noites. "Esta Cidade" (pensei) "é tão horrível que sua mera existência e perduração, ainda que no centro de um deserto secreto, contamina o passado e o futuro e de certo modo compromete os astros. Enquanto perdurar, ninguém no mundo poderá ser corajoso ou feliz." Não quero descrevê-la; um caos de palavras heterogêneas, um corpo de tigre ou de touro, em que pululassem monstruosamente, conjugados e odiando-se, dentes, órgãos e cabeças, podem (talvez) ser imagens aproximativas.

Não recordo as etapas de minha volta, em meio aos poeirentos e úmidos hipogeus. Sei tão só que não me abandonava o temor de que, ao sair do último labirinto, me rodeasse outra vez a nefanda Cidade dos Imortais. Nada mais posso recordar. Aquele esquecimento, agora insuperável, foi quem sabe voluntário; quem sabe as circunstâncias de minha evasão tenham sido tão ingratas que, em algum dia não menos esquecido também, jurei esquecê-las.

III

Aqueles que tiverem lido com atenção o relato de minhas provações lembrarão que um homem da tribo me seguiu como um cão poderia me seguir, até a sombra irregular dos muros. Quando saí do último porão, encontrei-o na boca da caverna. Estava deitado na areia, onde traçava desajeitadamente e apagava uma fileira de signos, que eram como as letras dos sonhos, que alguém está a ponto de entender e depois se confundem. No início, acreditei que se tratava de uma escrita bárbara; depois vi que é absurdo imaginar que homens que não chegaram à palavra cheguem à escrita. Além do mais, nenhuma das formas era igual a outra, o que excluía ou afastava a possibilidade de que fossem simbólicas. O homem as traçava, olhava e corrigia. De repente, como se aquele jogo o cansasse, apagou-as com a palma e o antebraço. Olhou-me, não pareceu me reconhecer. Contudo, tão grande era o alívio que me inundava (ou tão grande e medrosa minha solidão), que comecei a pensar que aquele troglodita rudimentar, que me olhava do chão da caverna, ficara me esperando. O sol escaldava a planície; quando empreendemos a volta à aldeia, sob as primeiras estrelas, a areia estava ardente sob os pés. O troglodita me precedeu; naquela noite concebi o projeto de ensiná-lo a reconhecer, e talvez a repetir, algumas palavras. O cão e o cavalo (refleti) são capazes de reconhecer; muitas aves, como o rouxinol dos Césares, de repetir. Por mais tosco que fosse o entendimento de um homem, sempre seria superior ao dos irracionais.

A humildade e a miséria do troglodita me trouxeram à memória a imagem de Argos, o velho cão moribundo da *Odisseia*, e assim o chamei de Argos e tratei de ensinar-lhe o nome. Fracassei e tornei a fracassar. Os ardis, o rigor e a obstinação foram inteiramente vãos. Imóvel, com os olhos inertes, não parecia perceber os sons que eu lhe procurava inculcar. A alguns passos de mim, era como se estivesse muito longe. Deitado na areia, como uma pequena e ruinosa esfinge de lava, deixava que sobre ele girassem os céus, do crepúsculo do dia ao da noite. Julguei impossível que não percebesse meu propósito. Lembrei que entre os etíopes consta que os macacos deliberadamente não falam para que não os obriguem a trabalhar e atribuí a suspicácia ou temor o silêncio de Argos. Dessa fantasia passei a outras, ainda mais extravagantes. Pensei que Argos e eu participávamos de universos diferentes; pensei que nossas percepções eram iguais, mas que Argos as combinava de outra maneira e com elas construía outros objetos; pensei que talvez não houvesse objetos para ele, mas um vertiginoso e contínuo jogo de impressões brevíssimas. Pensei num mundo sem memória, sem tempo; considerei a possibilidade de uma linguagem que ignorasse os substantivos, uma linguagem de verbos impessoais ou de epítetos indecns. Assim foram morrendo os dias e com os dias os anos, mas alguma coisa parecida à felicidade ocorreu uma manhã. Choveu, com poderosa lentidão.

As noites do deserto podem ser frias, mas aquela havia sido um fogo. Sonhei que um rio da Tessália (a cujas águas eu restituíra um peixe de ouro) vinha me resgatar; sobre a rubra areia e a negra pedra eu o ouvia aproximar-se; o frescor do ar e o burburinho agitado da chuva me acordaram. Corri nu para recebê-la. Declinava a noite; sob nuvens amarelas a tribo, não menos feliz que eu, oferecia-se ao vívido aguaceiro numa espécie de êxtase. Pareciam coribantes possuídos pela divindade. Argos, com os olhos postos na esfera, gemia; caudais lhe rolavam pelo rosto; não só de água, mas (soube depois) de lágrimas. "Argos", gritei, "Argos."

Então, com mansa surpresa, como se descobrisse uma coisa perdida e esquecida há muito tempo, Argos balbuciou estas palavras: "Argos, cão de Ulisses". E depois, também sem olhar para mim: "Este cão deitado no esterco". Facilmente aceitamos a realidade, talvez por intuir que nada é real. Perguntei-lhe o que sabia da *Odisseia*. A prática do grego lhe era penosa; tive de repetir a pergunta.

"Muito pouco", disse. "Menos que o mais pobre dos rapsodos. Já terão passado mil e cem anos desde que a inventei."

IV

Tudo ficou elucidado naquele dia. Os trogloditas eram os Imortais; o riacho de águas arenosas, o rio que o cavaleiro procurava. Quanto à cidade cujo renome se propalara até o Ganges, nove séculos faria que os Imortais a tinham arrasado. Com as relíquias de sua ruína ergueram, no mesmo lugar, a cidade desatinada que eu percorri: espécie de paródia ou reverso e também templo dos deuses irracionais que manejam o mundo e de quem nada sabemos, exceto que não se parecem com o homem. Aquela fundação foi o último símbolo a que condescenderam os Imortais; marca uma etapa em que, julgando que todo empreendimento é inútil, decidiram viver no pensamento, na pura especulação. Ergueram a obra, esqueceram-na e foram morar nas covas. Absortos, quase não percebiam o mundo físico.

Essas coisas foram relatadas por Homero, como quem fala com um menino. Ele também me relatou sua velhice e a derradeira viagem que empreendeu, movido, como Ulisses, pelo propósito de chegar aos homens que não sabem o que é o mar nem comem carne temperada com sal nem suspeitam o que seja um remo. Viveu um século na Cidade dos Imortais. Quando a derrubaram, aconselhou a fundação da outra. Isso não deve nos surpreender; consta que, depois de cantar a guerra de Ílion, cantou a guerra das rãs e dos ratos. Foi como um deus que criasse o cosmos e depois o caos.

Ser imortal é insignificante; exceto o homem, todas as criaturas o são, pois ignoram a morte; o divino, o terrível, o incompreensível, é se saber imortal. Notei que, apesar das religiões, essa convicção é raríssima. Israelitas, cristãos e muçulmanos professam a imortalidade, mas a veneração que tributam ao primeiro século prova que somente creem nele, uma vez que destinam todos os demais, em número infinito, a premiá-lo ou a castigá-lo. Mais razoável me parece a roda de certas religiões do Hindustão; nessa roda, que não tem princípio nem fim, cada vida é efeito da anterior e engendra a seguinte, mas nenhuma determina o conjunto... Doutrinada por um exercício de séculos, a república de homens imortais atingira a perfeição da tolerância e quase do desdém. Sabia que num prazo infinito a todo homem acontecem todas as coisas. Por suas virtudes passadas ou futuras, todo homem é credor de toda bondade, mas também de toda traição, por suas infâmias do passado ou do futuro. Assim como nos jogos de azar as cifras pares e as cifras ímpares tendem ao equilíbrio, do mesmo modo também se anulam e se corrigem o engenho e a estupidez, e talvez o rústico *Poema do Cid* seja o contrapeso exigido por um único epíteto das *Églogas* ou por uma sentença de Heráclito. O pensamento mais fugaz obedece a um desenho invisível e pode coroar, ou inaugurar, uma forma secreta. Sei de quem praticasse o mal para que nos séculos futuros resultasse o bem, ou tivesse resultado nos já pretéritos... Encarados assim, todos os nossos atos são justos, mas também são indiferentes. Não há méritos morais ou intelectuais. Homero compôs a *Odisseia*; postulado um prazo infinito, com infinitas circunstâncias e mudanças, o impossível é não compor, nem uma única vez, a *Odisseia*. Ninguém é alguém, um único homem imortal é todos os homens. Como Cornélio Agrippa, sou deus, sou herói, sou filósofo, sou demônio e sou mundo, o que é uma cansativa maneira de dizer que não sou.

O conceito do mundo como sistema de precisas compensações influiu vastamente nos Imortais. Em primeiro lugar, tornou-os invulneráveis à piedade. Mencionei as antigas pedreiras que irrompiam nos campos da outra margem; um homem despencou na mais funda; não podia se ferir nem morrer, mas a sede o abrasava; até que lhe atirassem uma corda passaram setenta anos. O próprio destino também não tinha interesse. O corpo era um submisso animal doméstico e lhe bastava, todo mês, a esmola de algumas horas de sono, de um pouco de água e de um naco de carne. Que ninguém queira nos rebaixar a ascetas. Não há prazer mais complexo que o pensamento e a ele nos entregávamos. Às vezes, um estímulo extraordinário nos restituía ao mundo físico. Por exemplo, naquela manhã, o velho prazer elementar da chuva. Esses lapsos eram raríssimos; todos os Imortais eram capazes de perfeita quietude; lembro-me de um que jamais vi de pé: um pássaro fizera ninho em seu peito.

Entre os corolários da doutrina de que não há coisa que não seja compensada por outra, existe um de pouquíssima importância teórica mas que nos induziu, no fim ou no início do século X, a nos dispersarmos pela face da Terra. Cabe nestas palavras: "Existe um rio cujas águas dão a imortalidade; em alguma região haverá outro cujas águas a apaguem". O número de rios não é infinito; um viajante imortal que percorrer o mundo acabará, algum dia, por ter bebido de todos. Propusemo-nos descobrir aquele rio.

A morte (ou sua alusão) torna preciosos e patéticos os homens. Estes comovem por sua condição de fantasmas; cada ato que executam pode ser o último; não há rosto que não esteja por se dissipar como o rosto de um sonho. Tudo, entre os mortais, tem o valor do irrecuperável e do casual. Entre os Imortais, por sua vez, cada ato (e cada pensamento) é o eco de outros que no passado o antecederam, sem princípio visível, ou o fiel presságio de outros que no futuro o repetirão até a vertigem. Não há coisa que não esteja como que perdida entre incansáveis espelhos. Nada pode acontecer uma única vez, nada é preciosamente precário. O elegíaco, o grave, o cerimonioso não contam para os Imortais. Homero e eu nos separamos nas portas de Tânger; creio que não nos dissemos adeus.

V

Percorri novos reinos, novos impérios. No outono de 1066 militei na ponte de Stamford, já não me lembro se nas fileiras de Harold, que não tardou a encontrar seu destino, ou nas daquele infausto Harald Hardrada, que conquistou seis pés de terra inglesa, ou um pouco mais. No século VII da Hégira, no arrabalde de Bulaq, transcrevi com pausada caligrafia, num idioma que esqueci, num alfabeto que ignoro, as sete viagens de Simbad e a história da Cidade de Bronze. Num pátio da prisão de Samarcanda joguei muitíssimo xadrez. Em Bikanir professei a astrologia e também na Boêmia. Em 1638 estive em Kolozsvár e depois em Leipzig. Em Aberdeen, em 1714, subscrevi para os seis volumes da *Ilíada* de Pope; sei que os frequentei com deleite. Por volta de 1729 discuti a origem desse poema com um professor de retórica, chamado, creio, Giambattista; suas razões me pareceram irrefutáveis. No dia 4 de outubro de 1921, o *Patna*, que me conduzia a Bombaim, teve de ancorar num porto da costa eritreia.*[1] Desci; lembrei-me de outras manhãs muito antigas, também defronte do mar Vermelho; quando eu era tribuno de Roma e a febre e a magia e a inação consumiam os soldados. Nos arredores vi um riacho de água clara; provei-a, levado pelo costume. Ao galgar a margem, uma árvore espinhosa me feriu o dorso da mão. A dor inusitada me pareceu muito viva. Incrédulo, silencioso e feliz, contemplei a preciosa formação de uma lenta gota de sangue. De novo sou mortal, repeti para mim mesmo, de novo me pareço com todos os homens. Naquela noite, dormi até o amanhecer.

... Revisei, depois de um ano, estas páginas. Estou seguro de que correspondem à verdade, mas nos primeiros

---

* As notas numeradas são sempre do autor, e as notas introduzidas por asteriscos, do tradutor.
1 Há uma rasura no manuscrito; talvez o nome do porto tenha sido apagado.

capítulos, e mesmo em certos parágrafos dos demais, creio perceber algo falso. É o resultado, talvez, do abuso de traços circunstanciais, procedimento que aprendi com os poetas e que contamina tudo de falsidade, uma vez que esses traços podem ser abundantes nos fatos, mas não em sua lembrança... Creio, todavia, ter descoberto uma razão mais íntima. Vou escrevê-la; não importa que me julguem fantástico.

"A história que contei parece irreal porque nela se misturam os acontecimentos de dois homens diferentes." No primeiro capítulo, o cavaleiro quer saber o nome do rio que banha as muralhas de Tebas; Flamínio Rufo, que anteriormente deu à cidade o epíteto de Hecatômpilos, diz que o rio é o Egito; nenhuma dessas locuções é adequada a ele, mas, sim, a Homero, que faz menção expressa, na *Ilíada*, de Tebas Hecatômpilos, e na *Odisseia*, pela boca de Proteu e de Ulisses, diz invariavelmente Egito em vez de Nilo. No segundo capítulo, o romano, ao beber a água imortal, pronuncia algumas palavras em grego; essas palavras são de Homero e podem ser encontradas no fim do famoso catálogo das naves. Depois, no vertiginoso palácio, fala de "uma reprovação que era quase um remorso"; essas palavras correspondem a Homero, que projetara esse horror. Tais anomalias me inquietaram; outras, de ordem estética, permitiram-me descobrir a verdade. O último capítulo as inclui; ali está escrito que militei na ponte de Stamford, que transcrevi, em Bulaq, as viagens de Simbad, o Marujo, e que subscrevi, em Aberdeen, para a *Ilíada* inglesa de Pope. Lê-se, *inter alia*: "Em Bikanir professei a astrologia e também na Boêmia". Nenhum desses testemunhos é falso; o significativo é o fato de tê-los destacado. O primeiro de todos parece convir a um homem de guerra, mas depois se nota que o narrador não repara no bélico, e sim na sorte dos homens. Os seguintes são mais curiosos. Uma obscura razão elementar me obrigou a registrá-los; eu o fiz porque sabia que eram patéticos. Não o são, ditos pelo romano Flamínio Rufo. São, ditos por Homero; é estranho que este copie, no século XIII, as aventuras de Simbad, de outro Ulisses, e descubra, depois de muitos séculos, num reino boreal e num idioma bárbaro, as formas de sua *Ilíada*. Quanto à oração que recolhe o nome de Bikanir, vê-se que foi fabricada por um homem de letras, desejoso (como o autor do catálogo das naves) de exibir vocábulos esplêndidos.[2]

Quando o fim se aproxima, já não restam imagens da recordação; só restam palavras. Não é estranho que o tempo tenha confundido as que certa vez me representaram com as que foram símbolos do destino de quem me acompanhou por tantos séculos. Eu fui Homero; em breve, serei Ninguém, como Ulisses; em breve serei todos: estarei morto.

Pós-escrito de 1950. Entre os comentários que a publicação anterior despertou, o mais curioso, ainda que não o mais urbano, intitula-se, biblicamente, *A Coat of Many Colours* (Manchester, 1948) e é obra da tenacíssima pena

[2] Ernesto Sabato sugere que o "Giambattista" que discutiu a formação da *Ilíada* com o antiquário Cartaphilus seja Giambattista Vico; esse italiano afirmava que Homero é um personagem simbólico, à maneira de Plutão ou de Aquiles.

do doutor Nahum Cordovero. Abrange umas cem páginas. Fala dos centões gregos, dos centões da baixa latinidade, de Ben Jonson, que definiu seus contemporâneos com fragmentos de Sêneca, do *Virgilius evangelizans* de Alexander Ross, dos artifícios de George Moore e de Eliot e, finalmente, da "narração atribuída ao antiquário Joseph Cartaphilus". Denuncia, no primeiro capítulo, breves interpolações de Plínio (*Historia naturalis*, v, 8); no segundo, de Thomas de Quincey (*Writings*, III, 439); no terceiro, de uma epístola de Descartes ao embaixador Pierre Chanut; no quarto, de Bernard Shaw (*Back to Methuselah*, v). Infere dessas intrusões, ou furtos, que todo o documento é apócrifo.

A meu ver, a conclusão é inadmissível. "Quando o fim se aproxima", escreveu Cartaphilus, "já não sobram imagens da recordação; só restam palavras." Palavras, palavras deslocadas e mutiladas, palavras de outros, foi a pobre esmola que lhe deixaram as horas e os séculos.

para Cecilia Ingenieros

o morto

Que um homem do subúrbio de Buenos Aires, que um triste *compadrito** sem outra virtude a não ser a enfatuação da coragem, se interne nos desertos equestres da fronteira com o Brasil e chegue a capitão de contrabandistas parece de antemão impossível. Para os que pensam assim, quero contar o destino de Benjamín Otálora, de quem talvez não reste lembrança no bairro de Balvanera e que morreu conforme sua lei, à bala, nos confins do Rio Grande do Sul. Ignoro os detalhes da sua aventura; quando me forem revelados, tratarei de corrigir e ampliar estas páginas. Por ora, este resumo pode ser útil.

Benjamín Otálora tem, por volta de 1891, dezenove anos. É um rapagão de testa diminuta, de sinceros olhos claros, duro feito um basco; uma punhalada feliz revelou-lhe que é homem valente; não o inquieta a morte do adversário, tampouco a pronta necessidade de fugir do país.

---

* O *compadrito* foi, como escreveu Borges, "o plebeu das cidades e do indefinido arrabalde, assim como o *gaucho* o foi da planície e das coxilhas". J. L. Borges e Silvina Bullrich, *El compadrito* (Buenos Aires: Compañía General Fabril Editora, 1968), p. 11.

O caudilho local entrega-lhe uma carta para um tal de Azevedo Bandeira, do Uruguai. Otálora embarca, a travessia é tormentosa e rangente; no dia seguinte, vagueia pelas ruas de Montevidéu, com inconfessada e talvez ignorada tristeza. Não encontra Azevedo Bandeira; por volta da meia-noite, num armazém do Paso del Molino, assiste a uma altercação entre alguns tropeiros. Uma faca reluz; Otálora não sabe de que lado está a razão, mas é atraído pelo puro sabor do perigo, como outros pelo baralho ou pela música. Apara, no entrevero, uma punhalada baixa que um peão dá num homem de chapelete escuro e poncho. Depois, este vem a ser Azevedo Bandeira. (Otálora, ao saber, rasga a carta, porque prefere dever tudo só a si mesmo.) Azevedo Bandeira, apesar de fornido, dá a injustificável impressão de ser aleijado; em seu rosto, sempre próximo demais, estão o judeu, o preto e o índio; em sua catadura, o macaco e o tigre; a cicatriz que lhe atravessa a face é um enfeite mais, como o negro bigode hirsuto.

Produto ou erro do álcool, a altercação cessa com a mesma rapidez com que começou. Otálora bebe com os tropeiros e depois os acompanha numa farra e, mais tarde, até um casarão na Cidade Velha, já com o sol bem alto. No último pátio, que é de terra, os homens estendem os arreios para dormir. De forma confusa, Otálora compara essa noite com a anterior; agora já pisa terra firme, entre amigos. Perturba-o algum remorso, isso sim, de não sentir falta de Buenos Aires. Dorme até a noitinha, quando o acorda o paisano que, bêbado, agrediu Bandeira. (Otálora lembra que esse homem compartilhou com os demais a noite de tumulto e júbilo e que Bandeira o fez sentar à direita dele, obrigando-o a continuar bebendo.) O homem lhe diz que o patrão o mandou chamar. Numa espécie de escritório que dá para o saguão (Otálora nunca tinha visto um saguão com portas laterais) está à sua espera Azevedo Bandeira, com uma mulher de cabelo ruivo, clara e desdenhosa. Bandeira examina-o, oferece-lhe um copo de aguardente, repete que ele está lhe parecendo homem de coragem, propõe que vá ao norte com os demais para trazer uma tropa. Otálora aceita; de madrugada estão a caminho, rumo a Tacuarembó.

Começa então para Otálora uma vida diferente, uma vida de vastos amanheceres e de jornadas que têm o odor do cavalo. Aquela vida é nova para ele, e às vezes atroz, mas já está em seu sangue, porque, da mesma forma que os homens de outras nações veneram e pressentem o mar, assim nós (também o homem que entretece esses símbolos) ansiamos pela planície inesgotável ressoando sob os cascos. Otálora fora criado nos bairros do carreteiro e do quarteador; antes de um ano se torna *gaucho*. Aprende a domar, a entropilhar a criação, a carnear, a manejar o laço que subjuga e as boleadeiras que derrubam, a resistir ao sono, às tempestades, às geadas e ao sol, a tocar o gado com o assovio e o grito. Só uma vez, durante aquele tempo de aprendizagem, vê Azevedo Bandeira, mas o tem muito presente, porque ser *homem de Bandeira* é ser considerado e temido, e porque, diante de toda ação própria de homem, os *gauchos* dizem que Bandeira faz melhor. Alguém opina que Bandeira nasceu do outro lado do Cuareim, no Rio Grande do Sul; esse fato, que deveria rebaixá-lo, obscuramente o enriquece de selvas fervilhantes, de tremedais, de inextricáveis e quase infinitas distâncias. Gradualmente, Otálora entende que os negócios de Bandeira são múltiplos e que o principal é o contrabando. Ser tropeiro é ser um serviçal; Otálora se propõe ascender a contrabandista. Uma noite, dois dos companheiros vão cruzar a fronteira para trazer algumas partidas de cana; Otálora provoca um deles, fere-o e toma seu lugar. É movido pela ambição e também por uma obscura fidelidade. "Que o homem" (pensa) "acabe por entender que eu valho mais que todos os seus uruguaios juntos."

Passa outro ano antes que Otálora volte a Montevidéu. Percorrem os arrabaldes, a cidade (que para Otálora parece muito grande); chegam à casa do patrão; os homens estendem os arreios no último pátio. Passam os dias e Otálora não vê Bandeira. Dizem, com temor, que está doente; um preto costuma subir ao seu quarto com a chaleira e o mate. Uma tarde, encarregam Otálora dessa tarefa. Este se sente vagamente humilhado, mas também satisfeito.

O quarto está desarrumado e escuro. Há um balcão que dá para o poente, uma longa mesa com uma reluzente desordem de rebenques, relhos, cinturões, armas de fogo e armas brancas, há um remoto espelho que tem o cristal embaçado. Bandeira jaz de costas; sonha e se lamenta; uma veemência de derradeiro sol o define. O vasto leito branco parece diminuí-lo e escurecê-lo; Otálora nota as cãs, o cansaço, a frouxidão, os sulcos dos anos. Revolta-o que aquele velho esteja mandando neles. Pensa que bastaria um golpe para dar cabo dele. Nisso, vê no espelho que alguém entrou. É a mulher de cabelo ruivo; está só meio vestida e descalça e observa-o com fria curiosidade. Bandeira se recompõe; enquanto fala das coisas do campo e engole um mate atrás do outro, seus dedos brincam com as tranças da mulher. Por fim, dá licença a Otálora para sair.

Dias depois, chega-lhes a ordem de ir para o norte. Vão dar numa estância perdida, que parece estar em qualquer parte da interminável planície. Nem árvores nem um riacho para alegrá-la, o primeiro e o último sol batem nela. Há currais de pedra para a criação, que é chifruda e trabalhosa. O Suspiro, assim se chama essa pobre propriedade.

Otálora ouve em roda de peões que Bandeira não tardará a chegar de Montevidéu. Indaga por quê; alguém esclarece que há um forasteiro agauchado que está querendo mandar demais. Otálora compreende que é uma brincadeira, mas lhe agrada que uma brincadeira como essa já seja possível. Verifica, depois, que Bandeira se desentendeu com um dos chefes políticos e que este lhe retirou o apoio. Gosta da notícia.

Chegam caixotes de armas longas; chegam um jarro e uma bacia de prata para o aposento da mulher; chegam cortinas de intrincado damasco; chega das coxilhas, certa manhã, um cavaleiro sombrio, de barba cerrada e poncho. Chama-se Ulpiano Suárez e é o capanga ou guarda-costas de Azevedo Bandeira. Fala muito pouco e de maneira abrasileirada. Otálora não sabe se deve atribuir sua reserva a hostilidade, desdém ou mera barbárie. Sabe, isto sim, que, para o plano que está maquinando, tem de ganhar a amizade dele.

Depois entra no destino de Benjamín Otálora um alazão de crina e patas negras que Azevedo Bandeira traz do sul e que exibe arreio prateado e carona com bordas de couro de onça. Esse cavalo ligeiro é um símbolo da autoridade do patrão e por isso é cobiçado pelo rapaz, que chega também a desejar, com desejo rancoroso, a mulher de cabelo reluzente. A mulher, o arreio e o alazão são atributos ou adjetivos de um homem que ele almeja destruir.

Aqui a história se complica e aprofunda. Azevedo Bandeira é destro na arte da intimidação progressiva, na manobra satânica de humilhar, gradualmente, o interlocutor, combinando seriedade com brincadeira; Otálora resolve aplicar esse método ambíguo à dura tarefa que se propõe. Resolve suplantar, lentamente, Azevedo Bandeira. Ganha, em jornadas de perigo comum, a amizade de Suárez. Confia-lhe o plano; Suárez lhe promete ajuda. Muitas coisas vão acontecendo depois, de que sei pouco. Otálora não obedece a Bandeira; dá de esquecer, de corrigir, de inverter as ordens dele. O universo parece conspirar com ele e apressa os fatos. Num certo meio-dia, ocorre um tiroteio com gente rio-grandense em campos de Tacuarembó; Otálora usurpa o lugar de Bandeira e manda nos uruguaios. Uma bala atravessa-lhe o ombro, mas naquela tarde Otálora volta para O Suspiro no alazão do chefe e naquela tarde algumas gotas de seu sangue mancham o couro de onça e naquela noite dorme com a mulher de cabelo reluzente. Outras versões mudam a ordem desses fatos e negam que tenham ocorrido num único dia.

Bandeira, no entanto, continua sendo nominalmente o chefe. Dá ordens que não são executadas; Benjamín Otálora não toca nele, por uma mistura de rotina e pena.

A última cena da história corresponde à agitação da última noite de 1894. Naquela noite, os homens do Suspiro jantam cordeiro recém-carneado e bebem um álcool arreliento. Alguém rasqueia infinitamente uma trabalhosa milonga. Na cabeceira da mesa, Otálora, bêbado, vai de exultação a exultação, em crescente júbilo; essa torre de vertigem é um símbolo de seu irresistível destino. Bandeira, taciturno entre os que gritam, deixa que flua clamorosa a noite. Quando as doze badaladas ressoam, levanta-se como quem se lembra de uma obrigação. Levanta-se e bate com suavidade na porta da mulher. Ela abre para ele em seguida, como se esperasse o chamado. Sai só meio vestida e descalça. Com uma voz afeminada que se arrasta, o chefe lhe ordena:

— Já que você e o portenho se gostam tanto, vá, agora mesmo, dar um beijo nele na frente de todos.

Acrescenta um detalhe grosseiro. A mulher quer resistir, mas dois homens a pegam pelo braço e jogam-na em cima de Otálora. Arrasada em lágrimas, beija-lhe o rosto e o peito. Ulpiano Suárez empunha o revólver. Otálora compreende, antes de morrer, que desde o início o traíram, que foi condenado à morte, que lhe permitiram o amor, o mando e o triunfo, porque já o davam por morto, porque para Bandeira já estava morto.

Suárez, quase com desdém, abre fogo.

os teólogos

Arrasado o jardim, profanados os cálices e as aras, os hunos entraram a cavalo na biblioteca monástica e rasgaram os livros incompreensíveis e os vituperaram e queimaram, temerosos talvez de que as letras encobrissem blasfêmias contra o deus deles, que era uma cimitarra de ferro. Palimpsestos e códices arderam, mas no coração da fogueira, no meio da cinza, perdurou quase intacto o livro 12 da *Civitas Dei*, que narra o que Platão ensinou em Atenas: depois de séculos, todas as coisas recuperarão seu estado anterior, e Platão, perante o mesmo auditório, em Atenas, ensinará de novo a mesma doutrina. O texto perdoado pelas chamas gozou de uma veneração especial e os que o leram e releram naquela remota província começaram a esquecer que o autor somente formulou aquela doutrina para melhor poder refutá-la. Um século mais tarde, Aureliano, coadjutor de Aquileia, soube que nas margens do Danúbio a novíssima scita dos *monótonos* (também chamados de *anulares*) professava que a história é um círculo, e que nada é que não tenha sido e não será. Nas montanhas, a Roda e a Serpente tinham alijado a Cruz. Todos temiam, mas todos se confortavam com o boato de que João de Panônia, que se distinguira por um tratado sobre o sétimo atributo de Deus, ia impugnar tão abominável heresia.

Aureliano deplorou essas notícias, sobretudo a última. Sabia que em matéria teológica não há novidade sem risco; depois refletiu que a tese de um tempo circular era demasiado ímpar, demasiado assombrosa, para que o risco fosse grave. (As heresias que devemos temer são as que podem se confundir com a ortodoxia.) Feriu-o mais a intervenção — a intrusão — de João de Panônia. Dois anos antes, este usurpara com seu verboso *De septima affectione Dei sive de aeternitate* um assunto da especialidade de Aureliano; agora, como se o problema do tempo lhe pertencesse, ia retificar, talvez com argumentos de Procusto, com triagas mais temíveis que a Serpente, os anulares... Naquela noite, Aureliano repassou as páginas do antigo diálogo de Plutarco sobre a cessação dos oráculos; no parágrafo 29, leu uma zombaria contra os estoicos, que defendem um ciclo infindável de mundos, com infinitos sóis, luas, Apolos, Dianas e Posêidons. O achado lhe pareceu um prognóstico favorável; resolveu se adiantar a João de Panônia e refutar os heréticos da Roda.

Há quem busque o amor de uma mulher para se esquecer dela, para não pensar mais nela; Aureliano, da mesma maneira, queria superar João de Panônia para se curar do rancor que este lhe infundia, não para lhe fazer mal. Temperado pelo simples trabalho, pela fabricação de silogismos e pela invenção de injúrias, pelos *nego* e os *autem* e os *nequaquam*, conseguiu esquecer o rancor. Construiu vastos e quase inextricáveis períodos, obstruídos por incisos, em que a negligência e o solecismo pareciam formas do desdém. Fez da cacofonia um instrumento. Previu que João fulminaria os anulares com gravidade profética; optou, para não coincidir com ele, pelo escárnio. Agostinho escrevera que Jesus é a via reta que nos salva do labirinto circular em que andam os ímpios; Aureliano, laboriosamente trivial, equiparou-os a Ixião, ao fígado de Prometeu, a Sísifo, àquele rei de Tebas que viu dois sóis, à tartamudez, a papagaios, espelhos, ecos, mulas de nora, silogismos bicornes. (As fábulas gentílicas perduravam, rebaixadas a adornos.) Como todo possuidor de uma biblioteca, Aureliano se sabia culpado de não conhecê-la até o fim; essa controvérsia permitiu-lhe fazer jus a muitos livros que pareciam repreendê-lo por sua incúria. Assim conseguiu engastar uma passagem da obra *De principiis*, de Orígenes, na qual se nega que Judas Iscariote tornará a vender o Senhor, e Paulo a presenciar em Jerusalém o martírio de Estêvão, e outra, dos *Academica priora* de Cícero, onde este zomba dos que imaginam que, enquanto ele conversa com Lúculo, outros Lúculos e outros Cíceros, em número infindável, dizem pontualmente o mesmo, em infinitos mundos idênticos. Além disso, esgrimiu contra os monótonos o texto de Plutarco e denunciou o escândalo de que para um idólatra valesse mais o *lumen naturae* que para eles a palavra de Deus. Nove dias exigiu dele esse trabalho; no décimo, remeteram-lhe uma cópia da refutação de João de Panônia.

Era quase irrisoriamente breve; Aureliano olhou-a com desdém e depois com temor. A primeira parte glosava os versículos finais do capítulo IX da Epístola aos Hebreus, onde se diz que Jesus não foi sacrificado muitas vezes desde o princípio do mundo, mas, agora, uma única vez, na consumação dos séculos. A segunda alegava o preceito bíblico sobre as vãs repetições dos gentios (Mateus

6,7) e aquela passagem do livro 7 de Plínio, que ressalta não haver no desmesurado universo dois rostos iguais. João de Panônia declarava que tampouco há duas almas e que o pecador mais vil é precioso como o sangue que por ele verteu Jesus Cristo. O ato de um só homem (afirmou) pesa mais que os nove céus concêntricos e imaginar que ele possa se perder e voltar é uma esplêndida frivolidade. O tempo não refaz o que perdemos; a eternidade guarda-o para a glória e também para o fogo. O tratado era límpido, universal; não parecia redigido por uma pessoa concreta, mas por qualquer homem ou, talvez, por todos os homens.

Aureliano sentiu uma humilhação quase física. Pensou destruir ou refazer seu próprio trabalho; depois, com rancorosa probidade, enviou-o a Roma sem modificar uma letra. Meses mais tarde, quando se reuniu o concílio de Pérgamo, o teólogo encarregado de impugnar os erros dos monótonos foi (previsivelmente) João de Panônia; sua douta e comedida refutação bastou para que Euforbo, heresiarca, fosse condenado à fogueira. "Isto aconteceu e voltará a acontecer", disse Euforbo. "Não acendeis uma pira, acendeis um labirinto de fogo. Se aqui se unissem todas as fogueiras que fui, não caberiam na Terra e ficariam cegos os anjos. Isso eu disse muitas vezes." Depois gritou, porque as chamas o atingiram.

Caiu a Roda diante da Cruz,[1] mas Aureliano e João prosseguiram sua batalha secreta. Os dois militavam no mesmo exército, almejavam o mesmo galardão, guerreavam contra o mesmo Inimigo, mas Aureliano não escreveu uma palavra que inconfessavelmente não propendesse

---

1 Nas cruzes rúnicas os dois emblemas inimigos convivem entrelaçados.

a superar João. O duelo deles foi invisível; se os volumosos índices não me enganam, não figura uma única vez o nome do *outro* nos muitos tomos de Aureliano que a *Patrologia* de Migne entesoura. (Das obras de João, só perduraram vinte palavras.) Os dois desaprovaram os anátemas do segundo concílio de Constantinopla; os dois perseguiram os arianos, que negavam a geração eterna do Filho; os dois testemunharam a ortodoxia da *Topographia christiana* de Cosmas, que ensina que a Terra é quadrangular, como o tabernáculo hebreu. Infelizmente, pelos quatro cantos da Terra grassou outra tempestuosa heresia. Oriunda do Egito ou da Ásia (porque os testemunhos diferem e Bossuet não quer admitir as razões de Harnack), infestou as províncias orientais e ergueu santuários na Macedônia, em Cartago e Tréveris. Parecia estar em toda parte; disseram que na diocese da Bretanha os crucifixos tinham sido invertidos e que a imagem do Senhor, em Cesárea, fora suplantada por um espelho. O espelho e o óbolo eram os emblemas dos novos cismáticos.

A história os conhece por muitos nomes (*especulares, abismais, cainitas*), mas de todos o mais aceito é *histriões*, dado por Aureliano e que eles com atrevimento adotaram. Na Frígia chamaram-nos *simulacros*, e também na Dardânia. João Damasceno chamou-os *formas*; é justo observar que a passagem foi recusada por Erfjord. Não há heresiólogo que não relate com estupefação seus desmedidos costumes. Muitos histriões professaram o ascetismo; um se mutilou, como Orígenes; outros moraram sob a terra, em cloacas; outros arrancaram os próprios olhos; outros (os *nabucodonosores* de Nítria) "pastavam como os bois e seu pelo crescia feito penas de águia". Da mortificação e do rigor passavam, muitas vezes, ao crime; certas comunidades toleravam o roubo; outras, o homicídio; outras, a sodomia, o incesto e o bestialismo. Todas eram blasfemas; maldiziam não só o Deus do cristianismo, mas também as divindades arcanas de seu próprio panteão. Maquinaram livros sagrados, cujo desaparecimento os doutos deploram. Sir Thomas Browne, por volta de 1658, escreveu: "O tempo aniquilou os ambiciosos *Evangelhos histriônicos*, não as Injúrias com que se fustigou sua Impiedade"; Erfjord sugeriu que essas "injúrias" (preservadas num códice grego) são os evangelhos perdidos. Isso se torna incompreensível, se ignorarmos a cosmologia dos histriões.

Nos Livros Herméticos está escrito que o que há embaixo é igual ao que há em cima, e o que há em cima, igual ao que há embaixo; no *Zohar*, que o mundo inferior é reflexo do superior. Os histriões fundaram sua doutrina sobre uma perversão dessa ideia. Recorreram a Mateus 6,12 ("perdoa nossas dívidas, como nós perdoamos a nossos devedores") e 11,12 ("o reino dos céus sofre violência") para demonstrar que a Terra influi no céu, e a 1 Coríntios 13,12 ("vemos agora por espelho, na obscuridade") para demonstrar que tudo o que vemos é falso. Talvez contaminados pelos monótonos, imaginaram que todo homem é dois homens e que o verdadeiro é o outro, o que está no céu. Também imaginaram que nossos atos projetam um reflexo invertido, de modo que, se velamos, o outro dorme, se fornicamos, o outro é casto, se roubamos, o outro é generoso. Mortos, nós nos uniremos a ele e seremos ele. (Algum eco dessas doutrinas perdurou em Bloy.) Outros histriões pensaram que o mundo acabaria quando se esgotasse o número de suas possibilidades; uma vez que não pode haver repetições, o justo deve eliminar (cometer) os atos mais infames, para que estes não manchem o futuro e para acelerar o advento do reino de Jesus. Esse artigo foi negado por outras seitas, que defenderam que a história do mundo deve se cumprir em cada homem. Os demais, como Pitágoras, deverão transmigrar por muitos corpos antes de obter a libertação; alguns, os proteicos, "no fim de uma única vida são leões, são dragões, são javalis, são água e são uma árvore". Demóstenes relata a purificação pelo lodo a que eram submetidos os iniciados, nos mistérios órficos; os proteicos, analogamente, buscaram a purificação pelo mal. Entenderam, como Carpócrates, que ninguém sairá da prisão até pagar o último óbolo (Lucas 12,59), e costumavam embair os penitentes com este outro versículo: "Eu vim para que os homens tenham vida e para que a tenham em abundância" (João 10,10). Também diziam que não ser um malvado é uma soberba satânica... Muitas e divergentes mitologias foram urdidas pelos histriões; alguns pregaram o ascetismo, outros a licença, todos a confusão. Teopompo, histrião de Berenice, negou todas as fábulas; disse que cada homem é um órgão projetado pela divindade para sentir o mundo.

Os hereges da diocese de Aureliano eram dos que afirmavam que o tempo não tolera repetições, não dos que afirmavam que todo ato se reflete no céu. Essa circunstância era esquisita; num informe às autoridades romanas, Aureliano a mencionou. O prelado que receberia o informe era confessor da imperatriz; ninguém ignorava que esse ministério exigente lhe impedia as íntimas delícias da teologia especulativa. Seu secretário — antigo colaborador de João de Panônia, agora brigado com ele — gozava de renome de pontualíssimo inquisidor de heterodoxias; Aureliano acrescentou uma exposição da heresia histriônica, tal como esta se dava nos conventículos de Gênova e Aquileia. Redigiu alguns parágrafos; quando quis escrever a tese atroz de que não há dois instantes iguais, sua pena se deteve. Não deu com a fórmula necessária; as admonições da nova doutrina ("Queres ver o que não viram olhos humanos? Olha a lua. Queres ouvir o que os ouvidos não ouviram? Ouve o grito do pássaro. Queres tocar o que as mãos não tocaram? Toca a terra. Na verdade digo que Deus deve ainda criar o mundo") eram afetadas demais e metafóricas demais para a transcrição. De repente, uma oração de vinte palavras se apresentou a seu espírito. Escreveu-a, prazeroso; imediatamente depois, inquietou-o a suspeita de que era de outrem. No dia seguinte, lembrou que a lera muitos anos antes no *Adversus annulares* composto por João de Panônia. Verificou a citação; ali estava. A incerteza atormentou-o. Variar ou suprimir aquelas palavras era debilitar a expressão; deixá-las era plagiar um homem a quem abominava; indicar a fonte era denunciá-lo. Implorou o socorro divino. Por volta do início do segundo crepúsculo, seu anjo da guarda ditou-lhe uma solução intermediária. Aureliano conservou as palavras, mas antepôs este aviso: "O que os heresiarcas agora ladram para confusão da fé foi dito neste século por um varão doutíssimo, com mais ligeireza que culpa". Depois, aconteceu o temido, o esperado, o inevitável. Aureliano teve de declarar quem era esse varão; João de Panônia foi acusado de professar opiniões heréticas.

Quatro meses mais tarde, um ferreiro do Aventino, alucinado pelas falácias dos histriões, colocou sobre os ombros de seu filho pequeno uma grande esfera de ferro, para que seu duplo voasse. O menino morreu; o horror gerado por esse crime impôs uma incontestável severidade aos juízes de João. Este não quis se retratar; repetiu que negar sua proposição era incorrer na pestilenta heresia dos monótonos. Não entendeu (não quis entender) que falar dos monótonos era falar do já esquecido. Com insistência algo senil, foi pródigo nos períodos mais brilhantes de suas velhas polêmicas; os juízes nem sequer ouviam o que um dia os arrebatara. Em vez de tratar de purificar-se da mais leve mácula de histrionismo, esforçou-se para demonstrar que a proposição de que o acusavam era rigorosamente ortodoxa. Discutiu com os homens de cujo juízo dependia sua sorte e cometeu a máxima inabilidade de fazê-lo com engenho e ironia. No dia 26 de outubro, ao término de uma discussão que durou três dias e três noites, sentenciaram-no a morrer na fogueira.

Aureliano presenciou a execução, porque não fazê-lo era confessar-se culpado. O lugar do suplício era uma colina, em cujo verde cume havia um pau fincado profundamente no chão, e em torno muitos feixes de lenha. Um ministro leu a sentença do tribunal. Sob o sol do meio-dia, João de Panônia jazia com o rosto no pó, lançando uivos bestiais. Arranhava a terra, mas os algozes arrancaram-no, despiram-no e por fim o amarraram ao pelourinho. Em sua cabeça puseram uma coroa de palha untada de enxofre; ao lado, um exemplar do pestilento *Adversus annulares*. Chovera na noite anterior e a lenha ardia mal. João de Panônia rezou em grego e depois num idioma desconhecido. A fogueira já ia devorá-lo, quando Aureliano se atreveu a erguer os olhos. As labaredas ardentes se detiveram; Aureliano viu pela primeira e última vez o rosto odiado. Lembrou-lhe o de alguém, mas não conseguiu precisar de quem. Depois, as chamas engoliram-no; depois gritou e foi como se um incêndio gritasse.

Plutarco relatou que Júlio César chorou a morte de Pompeu; Aureliano não chorou a de João, mas sentiu o que sentiria um homem curado de uma doença incurável, que já fosse uma parte de sua vida. Em Aquileia, em Éfeso, na Macedônia, deixou que sobre ele passassem os anos. Buscou os árduos limites do Império, os pântanos pegajosos e os desertos contemplativos, para que a solidão o ajudasse a entender seu destino. Numa cela mauritana, na noite assombrada de leões, repensou a complexa acusação contra João de Panônia e justificou, pela enésima vez, o veredicto. Mas lhe custou justificar sua tortuosa denúncia. Em Rusaddir pregou o anacrônico sermão "Luz das luzes acesa na carne de um réprobo". Em Hibérnia, numa das choças de um mosteiro cercado pela selva, surpreendeu-o, uma noite, por volta da alvorada, o ruído da chuva. Lembrou uma noite romana em que o surpreendera também esse ruído minucioso. Um raio, ao meio-dia, incendiou as árvores e Aureliano conseguiu morrer como João morrera.

O final da história só pode ser contado por metáforas, uma vez que se passa no reino dos céus, onde não há tempo. Talvez coubesse dizer que Aureliano conversou com Deus e que Este se interessa tão pouco pelas diferenças religiosas que o tomou por João de Panônia. Isso, no entanto, insinuaria uma confusão da mente divina. É mais correto dizer que, no paraíso, Aureliano soube que para a insondável divindade ele e João de Panônia (o ortodoxo e o herege, o abominador e o abominado, o acusador e a vítima) constituíam uma única pessoa.

história do guerreiro e da cativa

Na página 278 do livro *La poesia* (Bari, 1942), Croce, resumindo um texto latino do historiador Paulo, o Diácono, narra o destino e cita o epitáfio de Droctulft; estes me comoveram de forma singular, e logo entendi por quê. Droctulft foi um guerreiro lombardo que, no cerco de Ravena, abandonou os seus e morreu defendendo a cidade que antes atacara. Os ravenenses sepultaram-no num templo e compuseram um epitáfio em que manifestavam sua gratidão (*"contempsit caros, dum nos amat ille, parentes"*)* e o peculiar contraste que se podia perceber entre a aparência atroz daquele bárbaro e sua bondade e simplicidade:

Terribilis visu facies, sed mente benignus,
Longaque robusto pectore, barba fuit![1]**

É essa a história do destino de Droctulft, bárbaro que morreu defendendo Roma, ou é esse o fragmento de sua

---

* "desprezou os seus entes queridos, para nos amar".
[1] Também Gibbon (*Decline and Fall*, XLV) transcreve esses versos.
** "Face terrível de ver, mas de mente benigna,/ E com uma longa barba sobre o peito robusto!"

história que Paulo, o Diácono, conseguiu resgatar. Não sei sequer em que época aconteceu: se em meados do século VI, quando os longobardos desolaram as planícies da Itália; se no VIII, antes da rendição de Ravena. Imaginemos (este não é um trabalho histórico) a primeira hipótese.

Imaginemos Droctulft, *sub specie aeternitatis*, não o indivíduo Droctulft, que sem dúvida foi único e insondável (todos os indivíduos o são), mas, como ele e outros, o tipo genérico criado pela tradição, que é obra do esquecimento e da memória. Através de uma obscura geografia de selvas e pântanos, as guerras trouxeram-no à Itália, desde as margens do Danúbio e do Elba, e talvez não soubesse que ia para o sul nem, talvez, que guerreava contra o nome romano. Pode ser que professasse o arianismo, para o qual a glória do Filho é reflexo da glória do Pai; mais congruente, porém, é imaginá-lo devoto da Terra, de Hertha, cujo ídolo coberto ia de cabana em cabana num carro puxado por vacas, ou dos deuses da guerra e do trovão, que eram toscas figuras de madeira, envoltas em roupa tecida e sobrecarregadas de moedas e argolas. Vinha das selvas inextricáveis do javali e do auroque; era branco, corajoso, inocente, cruel, leal a seu capitão e a sua tribo, não ao universo. As guerras o trazem a Ravena e ali vê algo que nunca vira, ou que não vira em sua plenitude. Vê o dia e os ciprestes e o mármore. Vê um conjunto que é múltiplo sem desordem; vê uma cidade, um organismo feito de estátuas, de templos, de jardins, de quartos, de arquibancadas, de jarrões, de capitéis, de espaços regulares e abertos. Nenhuma dessas construções (bem sei) o impressiona pela beleza; tocam-no como agora nos tocaria uma maquinaria complexa, cujo objetivo ignorássemos mas em cujo desenho se adivinhasse uma inteligência imortal. Talvez lhe bastasse ver um único arco, com uma incompreensível inscrição em eternas letras romanas. Bruscamente o cega e o renova aquela revelação, a Cidade. Sabe que nela será um cachorro, ou um menino, e que não começará sequer a entendê-la, mas sabe também que ela vale mais que seus deuses e sua fé jurada e todos os pântanos da Alemanha. Droctulft abandona os seus e luta por Ravena. Morre, e na sepultura gravam palavras que ele não teria entendido:

Contempsit caros, dum nos amat ille, parentes,
Hanc patriam reputans esse, Ravenna, suam.*

Não foi um traidor (os traidores não costumam inspirar epitáfios piedosos); foi um iluminado, um converso. Depois de umas quantas gerações, os longobardos que culparam o trânsfuga procederam como ele; tornaram-se italianos, lombardos e talvez um de seu sangue — Aldiger — tenha gerado os que geraram o Alighieri... Muitas conjecturas podem ser aplicadas ao ato de Droctulft; a minha é a mais econômica; se não for verdadeira como fato, será como símbolo.

Quando li no livro de Croce a história do guerreiro, ela me comoveu de maneira insólita e tive a impressão de recuperar, sob forma diversa, algo que tinha sido meu. Fugazmente pensei nos cavaleiros mongóis que queriam fazer da China um infinito campo de pastoreio e depois

---

* "Desprezou os seus entes queridos, para nos amar,/ Considerando Ravena sua própria pátria."

envelheceram nas cidades que haviam almejado destruir; não era essa a lembrança que eu procurava. Encontrei-a afinal; era uma narrativa que ouvi certa vez de minha avó inglesa, que já morreu.

Em 1872 meu avô Borges era chefe das fronteiras norte e oeste de Buenos Aires e sul de Santa Fe. O comando estava em Junín; e além, a quatro ou cinco léguas um do outro, a cadeia de fortins; e, mais além, o que se denominava então o Pampa e também Tierra Adentro. Certa vez, entre maravilhada e brincalhona, minha avó comentou seu destino de inglesa desterrada naquele fim de mundo; disseram-lhe que não era a única e lhe indicaram, meses mais tarde, uma moça índia que atravessava lentamente a praça. Vestia duas mantas vermelhas e estava descalça; as riscas que dividiam seu cabelo eram loiras. Um soldado disse-lhe que outra inglesa queria falar com ela. A mulher assentiu; entrou no quartel do comando sem temor, mas não sem receio. No rosto acobreado, sarapintado de cores ferozes, os olhos eram desse azul desbotado que os ingleses chamam cinza. O corpo era ligeiro, como de corça; as mãos, fortes e ossudas. Vinha do deserto, de Tierra Adentro, e tudo para ela parecia ficar pequeno: as portas, as paredes, os móveis.

Talvez as duas mulheres por um instante tenham se sentido irmãs, estavam longe de sua ilha querida e num incrível país. Minha avó formulou alguma pergunta; a outra lhe respondeu com dificuldade, procurando as palavras e repetindo-as, como assombrada por um antigo sabor. Faria quinze anos que não falava o idioma nativo e não era fácil para ela recuperá-lo. Disse que era de Yorkshire, que seus pais emigraram para Buenos Aires, que os perdera num ataque, que fora levada pelos índios e que agora era mulher de um cacique a quem dera dois filhos e que era muito valente. Tudo isso foi dizendo num inglês rústico, entremeado de araucano ou de pampa, e atrás do relato se vislumbrava uma vida de fera: os toldos de couro de cavalo, as fogueiras de esterco, os festins de carne chamuscada ou de vísceras cruas, as sigilosas marchas ao alvorecer; o assalto aos currais, o alarido e o saque, a guerra, o caudaloso arrastão das criações por cavaleiros despidos, a poligamia, o fedor e a magia. Àquela barbárie havia se rebaixado uma inglesa. Movida pela pena e pelo escândalo, minha avó exortou-a a não voltar mais. Jurou ampará-la, jurou resgatar os filhos dela. A outra lhe respondeu que era feliz e voltou, naquela noite, para o deserto. Francisco Borges morreria pouco depois, na revolução de 74; talvez minha avó, então, tenha podido perceber na outra mulher, também arrebatada e transformada por este continente implacável, um espelho monstruoso de seu destino...

Todos os anos, a índia loira costumava chegar às vendas de Junín, ou de Forte Lavalle, à procura de quinquilharias e mantimentos; não apareceu mais, desde a conversa com minha avó. No entanto, viram-se outra vez. Minha avó tinha saído para caçar; num rancho, perto dos banhados, um homem degolava uma ovelha. Como num sonho, passou a índia a cavalo. Atirou-se ao chão e bebeu o sangue quente. Não sei se fez isso porque já não podia agir de outro modo, ou como um desafio e um signo.

Mil e trezentos anos e o mar separam o destino da cativa do destino de Droctulft. Os dois, agora, são igualmente irrecuperáveis. A figura do bárbaro que abraça a causa de Ravena, a figura da mulher europeia que opta pelo deserto, podem parecer antagônicas. Contudo, os dois foram arrebatados por um ímpeto secreto, um ímpeto mais fundo que a razão, e ambos acataram esse ímpeto que não teriam sabido justificar. Talvez as histórias que contei sejam uma única história. O anverso e o reverso dessa moeda são, para Deus, iguais.

para Ulrike von Kühlmann

biografia de tadeo isidoro cruz (1829-74)

*I'm looking for the face I had
Before the world was made.*
W. B. Yeats, *The Winding Stair*

No dia 6 de fevereiro de 1829, os *montoneros** que, já fustigados por Lavalle, marchavam do sul para se incorporar às divisões de López, fizeram alto numa estância cujo nome ignoravam, a três ou quatro léguas de Pergamino; por volta do amanhecer, um dos homens teve um pesadelo tenaz: na penumbra do galpão, o grito confuso acordou a mulher que dormia com ele. Ninguém sabe o que sonhou, pois no outro dia, às quatro, os *montoneros* foram desbaratados pela cavalaria de Suárez e a perseguição durou nove léguas, até os capinzais já lúgubres, e o homem pereceu numa sanga, com o crânio partido por um sabre das guerras do Peru e do Brasil. A mulher se chamava Isidora Cruz; o filho que teve recebeu o nome de Tadeo Isidoro.

Meu propósito não é repetir sua história. Dos dias e noites que a compõem, só me interessa uma noite; do restante só vou relatar o indispensável para se entender aquela noite. A aventura consta num livro insigne; ou seja, num livro

---

* Guerrilheiros *gauchos* e índios que participavam das milícias conhecidas por *montoneras* na guerra que se travou durante o processo de independência da Argentina e do Uruguai, nas primeiras décadas do século XIX.

cuja matéria pode ser tudo para todos (1 Coríntios 9,22), pois é capaz de quase inesgotáveis repetições, versões, perversões. Os que comentaram, e são muitos, a história de Tadeo Isidoro destacam a influência da planície sobre sua formação, mas *gauchos* idênticos a ele nasceram e morreram nas ribeiras selvagens do Paraná e nas coxilhas uruguaias. Viveu, isso sim, num mundo de barbárie monótona. Quando, em 1874, morreu de uma varíola maligna, nunca vira uma montanha nem um bico de gás nem um moinho. Tampouco uma cidade. Em 1849, foi a Buenos Aires com uma tropa da propriedade de Francisco Xavier Acevedo; os tropeiros entraram na cidade para esvaziar os bolsos; Cruz, receoso, não saiu de uma pousada na vizinhança dos currais. Ali passou muitos dias, taciturno, dormindo no chão, mateando, levantando ao alvorecer e se recolhendo à noitinha. Compreendeu (além das palavras e mesmo do entendimento) que a cidade nada tinha a ver com ele. Um dos peões, bêbado, zombou dele. Cruz não deu troco, mas nas noites da volta, junto do fogo, o outro amiudou as zombarias, e então Cruz (que antes não demonstrara rancor nem mesmo contrariedade) o estatelou com uma punhalada. Fugitivo, teve de se resguardar num tremedal; noites mais tarde, o grito de uma chajá avisou-o de que a polícia o havia cercado. Experimentou a faca numa moita; para que não estorvassem a marcha a pé, tirou as esporas. Preferiu lutar a entregar-se. Foi ferido no antebraço, no ombro, na mão esquerda; feriu de morte os mais valentes da patrulha; quando o sangue correu entre seus dedos, lutou com mais coragem do que nunca; por volta do alvorecer, aturdido pela perda de sangue, foi desarmado. O exército desempenhava, então, uma função penal: Cruz foi destinado a um fortim da fronteira norte. Como soldado raso, participou das guerras civis; às vezes combateu por sua província natal, às vezes, contra. No dia 23 de janeiro de 1856, nas Lagunas de Cardoso, foi um dos trinta cristãos que, sob o comando do sargento-mor Eusebio Laprida, lutaram contra duzentos índios. Naquela ação sofreu um ferimento de lança.

Na sua história obscura e valorosa são frequentes os hiatos. Por volta de 1868 sabemos que estava de novo em Pergamino: casado ou amancebado, pai de um filho, dono de uma fração de campo. Em 1869 foi nomeado sargento da polícia rural. Corrigira o passado; naquele tempo devia se considerar feliz, embora no fundo não o fosse. (Esperava-o, secreta no futuro, uma lúcida noite fundamental: a noite em que por fim viu seu próprio rosto, a noite em que por fim ouviu seu nome. Bem entendida, aquela noite esgota sua história; ou melhor, um instante daquela noite, um ato daquela noite, porque os atos são nosso símbolo.) Qualquer destino, por longo e complicado que seja, consta na realidade *de um único momento*: o momento em que o homem sabe para sempre quem é. Conta-se que Alexandre da Macedônia viu seu futuro de ferro refletido na fabulosa história de Aquiles; Carlos XII da Suécia, na de Alexandre. A Tadeo Isidoro Cruz, que não sabia ler, esse conhecimento não foi revelado num livro; viu-se a si mesmo num entrevero e num homem. Os fatos aconteceram assim:

Nos últimos dias do mês de junho de 1870, recebeu a ordem de prender um malfeitor que devia duas mortes à justiça. Tratava-se de um desertor das forças que o coronel Benito Machado comandava na fronteira sul; numa bebedeira, assassinara um preto num prostíbulo; noutra, um habitante do distrito de Rojas; o informe acrescentava que procedia de Laguna Colorada. Naquele lugar, quarenta anos antes, os *montoneros* tinham se reunido para a desventura que entregou suas carnes aos corvos e aos cães; dali saiu Manuel Mesa, que foi executado na praça da Victoria, enquanto os tambores rufavam para que não se ouvisse sua ira; dali saiu o desconhecido que gerou Cruz e morreu numa sanga, com o crânio partido por um sabre das batalhas do Peru e do Brasil. Cruz esquecera o nome do lugar; com leve mas inexplicável inquietação reconheceu-o... O criminoso, acossado pelos soldados, foi tramando a cavalo um longo labirinto de idas e vindas; contudo, foi por eles encurralado na noite de 12 de julho. Refugiara-se num capinzal. A treva era quase indecifrável; Cruz e os seus, cautelosos e a pé, avançaram rumo às moitas em cujo fundo trêmulo espreitava ou dormia o homem secreto. Gritou uma chajá; Tadeo Isidoro Cruz teve a impressão de já ter vivido aquele momento. O criminoso saiu do abrigo para lutar com eles. Cruz o entreviu, terrível; a cabeleira crescida e a barba cinza pareciam comer seu rosto. Um motivo notório me impede de relatar a luta. Basta lembrar que o desertor feriu de morte ou matou vários dos homens de Cruz. Este, enquanto combatia na escuridão (enquanto seu corpo combatia na escuridão), começou a compreender. Compreendeu que um destino não é melhor que outro, mas que todo homem deve acatar o que traz dentro de si. Compreendeu que as divisas e o uniforme o estorvavam. Compreendeu seu íntimo destino de lobo, não de cão gregário; compreendeu que o outro era ele. Amanhecia na planície desmesurada; Cruz jogou no chão o quepe, gritou que não ia consentir o crime de que matassem um valente e se pôs a lutar contra os soldados, junto do desertor Martín Fierro.

emma zunz

No dia 14 de janeiro de 1922, ao voltar da fábrica de tecidos Tarbuch e Loewenthal, Emma Zunz encontrou no fundo do vestíbulo uma carta, enviada do Brasil, pela qual soube que seu pai tinha morrido. À primeira vista, o selo e o envelope enganaram-na; depois, a letra desconhecida a inquietou. Nove ou dez linhas rabiscadas quase preenchiam a folha; Emma leu que o senhor Maier ingerira por engano uma forte dose de Veronal e falecera no dia 3 do corrente no hospital de Bagé. Um companheiro de pensão de seu pai assinava a notícia, um tal de Fein ou Fain, de Rio Grande, que não podia saber que se dirigia à filha do morto.

Emma deixou cair o papel. Sua primeira impressão foi de mal-estar no estômago e nos joelhos; em seguida, de culpa cega, irrealidade, frio, medo; a partir daquele instante, quis estar no dia seguinte. Ato contínuo, compreendeu que aquela vontade era inútil porque a morte de seu pai era a única coisa que tinha acontecido no mundo e continuaria acontecendo infindavelmente. Pegou o papel e foi para seu quarto. Guardou-o, furtivamente, numa gaveta, como se de alguma forma já conhecesse os fatos ulteriores. Já começara a vislumbrá-los, quem sabe; já era a que seria.

Na escuridão envolvente, Emma chorou até o fim daquele dia o suicídio de Manuel Maier, que nos velhos dias felizes foi Emanuel Zunz. Recordou veraneios numa chácara, perto de Gualeguay, recordou (procurou recordar) a mãe, recordou a casinha de Lanús que fora leiloada, recordou os losangos amarelos de uma janela, recordou o auto de prisão, o opróbrio, recordou as cartas anônimas sobre o "desfalque do caixa", recordou (mas isso jamais esquecera) que o pai, na última noite, jurara-lhe que o ladrão era Loewenthal, Aaron Loewenthal, antes gerente da fábrica e agora um dos donos. Desde 1916, Emma guardava o segredo. Não o revelara a ninguém, nem sequer à melhor amiga, Elsa Urstein. Talvez evitasse a incredulidade de terceiros; talvez acreditasse que o segredo era um vínculo entre ela e o ausente. Loewenthal não sabia que ela sabia; Emma Zunz retirava desse fato ínfimo um sentimento de poder.

Não dormiu naquela noite, e, quando a primeira luz definiu o retângulo da janela, seu plano já estava perfeito. Fez tudo para que aquele dia, que lhe pareceu interminável, fosse como os outros. Havia boatos de greve na fábrica; Emma, como sempre, declarou-se contra toda violência. Às seis, concluído o trabalho, foi com Elsa a um clube de mulheres, com ginásio e piscina. Inscreveram-se; teve de repetir e soletrar seu nome e sobrenome; teve de rir das piadas vulgares sobre o exame médico. Com Elsa e com a mais nova das Kronfuss discutiu a que cinema iriam no domingo à tarde. Depois, falou-se de namorados e ninguém esperou que Emma falasse. Em abril completaria dezenove anos, mas os homens ainda lhe inspiravam um temor quase patológico... Ao voltar, preparou uma sopa de tapioca e alguns legumes, jantou cedo, foi se deitar, obrigando-se a dormir. Assim, atarefada e trivial, passou a sexta-feira dia 15, a véspera. No sábado, a impaciência a despertou. A impaciência, não a inquietação, e o singular alívio de estar afinal naquele dia. Já não tinha de tramar e imaginar; dali a algumas horas chegaria à simplicidade dos fatos. Leu em *La Prensa* que o *Nordstjärnan*, de Malmö, zarparia naquela noite do dique 3; ligou para Loewenthal, insinuou que desejava comunicar, sem que as outras soubessem, algo sobre a greve e prometeu passar pelo escritório ao escurecer. Sua voz tremia; o tremor convinha a uma delatora. Nenhum outro fato memorável ocorreu naquela manhã. Emma trabalhou até o meio-dia e marcou com Elsa e Perla Kronfuss os pormenores do passeio do domingo. Deitou-se depois de almoçar e recapitulou, de olhos fechados, o plano que tramara. Pensou que a etapa final seria menos horrível que a primeira e que lhe traria, sem dúvida, o sabor da vitória e da justiça. De repente, alarmada, levantou-se e correu até a gaveta da cômoda. Abriu-a; debaixo do retrato de Milton Sills, onde a deixara na noite anterior, estava a carta de Fain. Ninguém podia tê-la visto; começou a lê-la e a rasgou.

Relatar com alguma fidelidade os fatos daquela tarde seria difícil e talvez improcedente. Um dos atributos do inferno é a irrealidade, um atributo que parece mitigar seus terrores e talvez os agrave. Como tornar verossímil uma ação quase desacreditada por quem a executava, como recuperar aquele breve caos que hoje a memória de Emma Zunz repudia e confunde? Emma morava do lado de Almagro, na rua Liniers; consta que naquela tarde teria ido ao porto. Talvez no infame Paseo de Julio tenha se visto multiplicada em espelhos, revelada pelas luzes e despida pelos olhares famintos, mas é mais razoável conjecturar que no início tenha vagado, despercebida, pela indiferente galeria... Entrou em dois ou três bares, viu a rotina ou as manobras de outras mulheres. Afinal deu com homens do *Nordstjärnan*. Temeu que um, muito jovem, lhe inspirasse alguma ternura e optou por outro, talvez mais baixo que ela e grosseiro, para que a pureza do horror não fosse atenuada. O homem levou-a a uma porta e depois a um turvo vestíbulo e depois a uma escada tortuosa e depois a um saguão (onde havia uma vidraça com losangos idênticos aos da casa em Lanús) e depois a um corredor e depois a uma porta que se fechou. Os fatos graves estão fora do tempo, seja porque neles o passado imediato fica truncado do futuro, seja porque as partes que os formam não parecem consecutivas.

    Naquele tempo fora do tempo, naquela desordem perplexa de sensações desconexas e atrozes, terá pensado Emma Zunz *uma única vez* no morto que motivara aquele sacrifício? Tenho para mim que pensou uma vez e que naquele momento seu desesperado propósito correu perigo. Pensou (não pôde não pensar) que seu pai fizera com sua mãe a coisa horrível que agora lhe faziam. Pensou com tênue assombro e se refugiou, em seguida, na vertigem. O homem, sueco ou finlandês, não falava espanhol; foi uma ferramenta para Emma assim como esta o foi para ele, mas ela serviu para o prazer e ele para a justiça.

    Quando ficou sozinha, Emma não abriu de imediato os olhos. No criado-mudo estava o dinheiro que o homem tinha deixado: Emma se recompôs e o rasgou como antes fizera com a carta. Rasgar dinheiro é uma impiedade, como jogar pão fora; Emma se arrependeu, mal o fizera. Um ato de soberba e naquele dia... O temor se perdeu na tristeza de seu corpo, no asco. O asco e a tristeza encadeavam-na, mas Emma lentamente se levantou e começou a se vestir. No quarto não restavam cores vivas; o derradeiro crepúsculo se acentuava. Emma conseguiu sair sem que percebessem; na esquina pegou o Lacroze, que ia para oeste. Escolheu, conforme seu plano, o assento da frente, para que não vissem seu rosto. Talvez tenha se reconfortado ao verificar, no insípido tráfego das ruas, que o acontecido não contaminara as coisas. Viajou por bairros decaídos e opacos, vendo-os e deles se esquecendo no mesmo instante, e desceu numa das esquinas da Warnes. Paradoxalmente, seu cansaço vinha a ser uma força, pois a obrigava a se concentrar nos pormenores da aventura e lhe ocultava o fundo e a finalidade.

Aaron Loewenthal era, para todos, um homem sério; para uns poucos íntimos, um avarento. Morava nos altos da fábrica, sozinho. Estabelecido no arrabalde desmantelado, temia os ladrões; no pátio da fábrica havia um cachorrão e na gaveta de sua escrivaninha, como ninguém ignorava, um revólver. Tinha chorado com decoro, no ano anterior, a inesperada morte da mulher — uma Gauss! que lhe trouxera um bom dote! —, mas o dinheiro era sua verdadeira paixão. Com íntima vergonha se sabia menos capacitado para ganhá-lo que para conservá-lo. Era muito religioso; acreditava ter com o Senhor um pacto secreto, que o eximia de agir bem, a troco de orações e devoções. Calvo, corpulento, enlutado, de *lorg-*

non escuro e barba loira, esperava de pé, junto da janela, o informe confidencial da operária Zunz.

Viu-a empurrar a grade (que ele entreabrira de propósito) e atravessar o pátio sombrio. Viu-a fazer um pequeno rodeio quando o cachorro amarrado começou a latir. Os lábios de Emma se agitavam como os de quem reza em voz baixa; cansados, repetiam a sentença que o senhor Loewenthal ouviria antes de morrer.

As coisas não aconteceram como Emma Zunz previra. Desde a madrugada anterior, ela sonhara muitas vezes que apontava o firme revólver, forçando o miserável a confessar a miserável culpa e expondo o intrépido estratagema que permitiria à Justiça de Deus triunfar sobre a justiça humana. (Não por temor, mas por ser um instrumento da Justiça, ela não queria ser castigada.) Depois, um único tiro no meio do peito rubricaria o destino de Loewenthal. Mas as coisas não aconteceram assim.

Diante de Aaron Loewenthal, mais que a urgência de vingar o pai, Emma sentiu a de castigar o ultraje por ela sofrido. Não podia deixar de matá-lo, depois daquela minuciosa desonra. Tampouco tinha tempo a perder com teatralismos. Sentada, tímida, pediu desculpas a Loewenthal, invocou (em sua qualidade de delatora) as obrigações da lealdade, pronunciou alguns nomes, deu a entender outros e se calou como se o medo a vencesse. Conseguiu que Loewenthal saísse para buscar um copo d'água. Quando ele, incrédulo em face de tais espalhafatos, mas indulgente, voltou da sala de jantar, Emma já havia tirado o pesado revólver da gaveta. Apertou o gatilho duas vezes. O corpo avantajado se desequilibrou como se os estampidos e a fumaça o tivessem partido, o copo d'água se quebrou, o rosto a olhou com espanto e cólera, a boca do rosto xingou-a em espanhol e em iídiche. Os palavrões não cessavam; Emma teve de abrir fogo outra vez. No pátio, o cachorro acorrentado rompeu a latir, e uma efusão de brusco sangue brotou dos lábios obscenos e manchou a barba e a roupa. Emma deu início à acusação que tinha preparado ("Vinguei meu pai e não poderão me castigar..."), mas não a acabou, porque o senhor Loewenthal já havia morrido. Nunca soube se ele chegou a compreender.

Os latidos exasperados lembraram-na de que não podia, ainda, descansar. Desarrumou o divã, desabotoou o paletó do cadáver, tirou o *lorgnon* salpicado e o deixou em cima do fichário. Depois pegou o telefone e repetiu o que repetiria tantas vezes, com estas e com outras palavras: "Ocorreu uma coisa incrível... O senhor Loewenthal me fez vir a pretexto da greve... Abusou de mim, e o matei...".

Com efeito, a história era incrível, mas se impôs a todos, porque substancialmente era verdade. Verdadeiro era o tom de Emma Zunz, verdadeiro o pudor, verdadeiro o ódio. Verdadeiro também era o ultraje que sofrera; só eram falsas as circunstâncias, a hora e um ou dois nomes próprios.

a casa de astérion

E a rainha deu à luz um filho que se chamou Astérion.
Apolodoro, *Biblioteca*, III, 1

Sei que me acusam de soberba, talvez de misantropia e talvez de loucura. Tais acusações (que eu castigarei no devido tempo) são irrisórias. É verdade que não saio de minha casa, mas também é verdade que suas portas (cujo número é infinito)[1] estão abertas dia e noite para os homens e também para os animais. Que entre quem quiser. Não encontrará aqui pompas de mulher nem o bizarro aparato dos palácios, mas sim a quietude e a solidão. Encontrará igualmente uma casa como não há outra na face da Terra. (Mentem os que afirmam que no Egito há uma parecida.) Até meus detratores admitem que não há *um único móvel* na casa. Outro caso ridículo é que eu, Astérion, sou um prisioneiro. Devo repetir que não há nenhuma porta fechada, devo acrescentar que não há fechadura? Além do mais, certo entardecer fui para a rua; se voltei antes de escurecer, foi pelo medo que me infundiram os rostos da plebe, rostos desbotados e achatados, semelhantes à mão aberta. O sol já tinha se posto, mas o

---

[1] O original diz *catorze*, mas sobram motivos para inferir que, na boca de Astérion, esse numeral equivale a *infinitos*.

choro desvalido de um menino e as toscas lamúrias da multidão disseram que haviam me reconhecido. O povo rezava, fugia, prosternava-se; alguns se encarapitavam no estilóbato do templo dos Machados, outros juntavam pedras. Um deles, creio, escondeu-se no mar. Não em vão foi minha mãe rainha; não posso me confundir com o vulgo, embora minha modéstia deseje.

    O fato é que sou único. Não me interessa o que um homem possa transmitir aos demais; como o filósofo, penso que nada é comunicável pela arte da escrita. As minúcias desagradáveis e banais não têm cabida em meu espírito, que está preparado para o grande; jamais retive a diferença entre uma letra e outra. Certa impaciência generosa não permitiu que eu aprendesse a ler. Às vezes lamento, porque as noites e os dias são compridos.

    Claro que não faltam distrações. Feito o carneiro que vai investir, corro pelas galerias de pedra até rolar pelo chão, zonzo. Eu me agacho à sombra de uma cisterna ou na curva de um corredor e brinco de esconder. Há terraços de que me deixo cair, até me ensanguentar. A toda hora posso brincar de fingir que durmo, com os olhos fechados e a respiração forte. (Às vezes adormeço realmente, às vezes já mudou a cor do dia quando abro os olhos.) Mas de tantas brincadeiras a que prefiro é a do outro Astérion. Finjo que ele vem me visitar e que lhe mostro a casa. Com grande reverência digo lhe: "Agora voltamos à encruzilhada anterior" ou "Agora desembocamos noutro pátio" ou "Bem dizia eu que você gostaria da canaleta" ou "Agora você vai ver uma cisterna que se encheu de areia" ou "Já vai ver como o porão se bifurca". Às vezes me engano e ficamos rindo com muito gosto.

Não imaginei apenas essas brincadeiras; também meditei sobre a casa. Todas as partes da casa se repetem muitas vezes; todo lugar é outro lugar. Não há uma cisterna, um pátio, um bebedouro, uma manjedoura; são catorze [são infinitos] as manjedouras, bebedouros, pátios, cisternas. A casa é do tamanho do mundo; ou melhor, é o mundo. Contudo, de tanto exaurir pátios com uma cisterna e poeirentas galerias de pedra cinza, cheguei à rua e vi o templo dos Machados e o mar. Isso não entendi, até que uma visão da noite me revelou que também são catorze [são infinitos] os mares e os templos. Tudo se repete muitas vezes, catorze vezes, mas há duas coisas no mundo que parecem existir uma única vez: em cima, o intrincado sol; embaixo, Astérion. Talvez eu tenha criado as estrelas e o sol e a casa enorme, mas já não me lembro.

A cada nove anos entram na casa nove homens para que eu os livre de todo mal. Ouço seus passos ou sua voz no fundo das galerias de pedra e corro alegremente a seu encontro. A cerimônia dura poucos minutos. Cai um depois do outro sem que eu ensanguente as mãos. Onde caem, ficam, e os cadáveres ajudam a diferenciar uma galeria das outras. Ignoro quem sejam, mas sei que um deles profetizou, na hora da morte, que um dia chegaria meu redentor. Desde aquele momento não sofro com a solidão, porque sei que meu redentor existe e no fim se levantará do pó. Se meu ouvido alcançasse todos os ruídos do mundo, eu perceberia seus passos. Oxalá me leve para um lugar com menos galerias e menos portas. Como será meu redentor?, pergunto-me. Será um touro ou um homem? Será talvez um touro com rosto de homem? Ou será como eu?

O sol da manhã reverberou na espada de bronze. Já não restava um só vestígio de sangue.

— Será que acreditarás, Ariadne? — disse Teseu. — O minotauro mal chegou a se defender.

para Marta Mosquera Eastman

a outra morte

Deve fazer um par de anos (eu perdi a carta) que Gannon me escreveu de Gualeguaychú, anunciando o envio de uma tradução, talvez a primeira espanhola, do poema *The Past*, de Ralph Waldo Emerson; num pós-escrito, ele acrescentava que dom Pedro Damián, de quem eu deveria guardar alguma lembrança, tinha morrido noites antes, de uma congestão pulmonar. O homem, arrasado pela febre, revivera num delírio a sangrenta jornada de Masoller; a notícia me pareceu previsível e até convencional, porque dom Pedro, aos dezenove ou vinte anos, seguira as bandeiras de Aparicio Saravia. A revolução de 1904 pegou-o numa estância de Río Negro ou Paysandú, onde trabalhava como peão; Pedro Damián era entrerriano, de Gualeguay, mas foi para onde foram seus amigos, tão corajoso e tão ignorante como eles. Combateu em alguma escaramuça e na derradeira batalha; repatriado em 1905, retomou com humilde tenacidade as lides do campo. Que eu saiba, não voltou a deixar sua província. Passou os últimos trinta anos num lugar muito isolado, a uma ou duas léguas do —ancay; naquele desamparo, conversei com ele uma tarde (tentei conversar com ele uma tarde), por volta de 1942.

Era homem taciturno, de poucas luzes. O som e a fúria de Masoller esgotavam sua história; não me surpreendeu que os revivesse, na hora da morte... Soube que não veria mais Damián e quis rememorá-lo; tão pobre é minha memória visual que só recordei uma fotografia que Gannon tirou dele. O fato nada tem de singular, se considerarmos que vi o homem no início de 1942, uma única vez, e o retrato, muitíssimas. Gannon me mandou aquela foto; eu a perdi e já não a procuro. Teria medo de encontrá-la.

O segundo episódio aconteceu em Montevidéu, meses mais tarde. A febre e a agonia do entrerriano sugeriram-me uma narrativa fantástica sobre a derrota de Masoller; Emir Rodríguez Monegal, a quem relatei o argumento, deu-me algumas linhas para o coronel Dionisio Tabares, que participara daquela campanha. O coronel me recebeu depois do jantar. Numa poltrona basculante, num pátio, recordou com desordem e amor os tempos passados. Falou de munições que não chegaram e de cavalos exaustos, de homens sonolentos e terrosos tecendo marchas labirínticas, de Saravia, que podia ter entrado em Montevidéu e que se desviou; "porque o *gaucho* tem medo da cidade", de homens degolados até a nuca, de uma guerra civil que me pareceu menos o choque de dois exércitos que o sonho de um bandoleiro. Falou de Illescas, de Tupambaé, de Masoller. Falou com frases tão cabais e de um modo tão vívido, que compreendi que contara muitas vezes as mesmas coisas, e temi que detrás de suas palavras quase não restassem lembranças. Numa pausa consegui intercalar o nome de Damián.

— Damián? Pedro Damián? — disse o coronel. — Esse serviu comigo. Um indiozinho a quem os rapazes chamavam de Daymán. — Iniciou uma sonora gargalhada e interrompeu-a de imediato, por incômodo real ou fingido.

Com outra voz disse que a guerra servia, como a mulher, para pôr à prova os homens e que, antes de entrar na batalha, ninguém sabia quem é. Alguém pode se julgar covarde e ser um valente, e da mesma forma o contrário, como aconteceu com aquele pobre Damián, que andou contando bravata nas vendas com sua divisa *blanca* e depois fraquejou em Masoller. Em algum tiroteio com os *zumacos* se portou como homem, mas foi outra coisa quando os exércitos se enfrentaram e começou o canhoneio e cada homem sentiu que cinco mil homens haviam se coligado para matá-lo. Pobre guri, que antes vivia lavando ovelhas e de repente foi arrastado por aquela patriotada...

De forma absurda, a versão de Tabares me envergonhou. Eu teria preferido que os fatos não tivessem acontecido assim. Com o velho Damián, entrevisto uma tarde, há tantos anos, eu fabricara, sem nenhuma intenção, uma espécie de ídolo; a versão de Tabares o destroçava. Compreendi, de súbito, a reserva e a obstinada solidão de Damián; não haviam sido ditadas pela modéstia, mas pela vergonha. Em vão repeti para mim mesmo que um homem acossado por um ato de covardia é mais complexo e mais interessante que um homem meramente corajoso. O *gaucho* Martín Fierro, pensei, é menos memorável que Lorde Jim ou Razumov. Sim, mas Damián, como *gaucho*, tinha obrigação de ser Martín Fierro — sobretudo diante de *gauchos* uruguaios. No que Tabares disse e não disse percebi o sabor agreste do que se chamava artiguismo: a consciência (talvez incontestável) de que o Uruguai é mais elementar que nosso país e, portanto, mais bravo... Recordo que naquela noite nos despedimos com exagerada efusão.

No inverno, a falta de uma ou duas circunstâncias para minha narrativa fantástica (que desajeitadamente se obstinava em não dar com sua forma) me fez voltar à casa do coronel Tabares. Encontrei-o com outro senhor de idade: o doutor Juan Francisco Amaro, de Paysandú, que também militara na revolução de Saravia. Falamos, previsivelmente, de Masoller. Amaro relatou algumas histórias e depois acrescentou com lentidão, como quem pensa em voz alta:

— Pernoitamos em Santa Irene, me lembro, e algumas pessoas se juntaram a nós. Entre elas, um veterinário francês que morreu na véspera da ação, e um jovem tosquiador, de Entre Ríos, um tal de Pedro Damián.

Interrompi-o com azedume.

— Já sei — disse-lhe. — O argentino que fraquejou diante das balas.

Detive-me; os dois me olhavam perplexos.

— O senhor está enganado — disse, por fim, Amaro. — Pedro Damián morreu como todo homem gostaria de morrer. Era por volta das quatro da tarde. No alto da coxilha a infantaria *colorada* tinha se tornado forte; os nossos a atacaram, com lança; Damián ia na frente, gritando, e uma bala acertou-o em cheio no peito. Quedou nos estribos, concluiu o grito e rolou por terra e foi parar entre as patas dos cavalos. Estava morto e a última carga de Masoller passou por cima dele. Tão valente e não tinha completado vinte anos.

Falava, sem dúvida, de outro Damián, mas alguma coisa me fez perguntar que gritava o guri.

— Palavrões — disse o coronel —, que é o que se grita nas cargas.

— Pode ser — disse Amaro —, mas também gritou: "Viva Urquiza!".

Ficamos calados. Afinal, o coronel murmurou:

— Não como se lutasse em Masoller, mas sim em Cagancha ou India Muerta, deve fazer um século.

Acrescentou com sincera perplexidade:

— Eu comandei aquelas tropas, e juraria que é a primeira vez que ouço falar de um Damián.

Não conseguimos lograr que o recordasse.

Em Buenos Aires, a estupefação que o esquecimento dele me causou se repetiu. Diante dos onze deleitáveis volumes das obras de Emerson, no porão da livraria inglesa de Mitchell, encontrei, certa tarde, Patricio Gannon. Perguntei-lhe pela tradução de *The Past*. Disse que não pensava traduzi-lo e que a literatura espanhola era tão tediosa que dispensava Emerson. Lembrei-lhe que me prometera essa versão na mesma carta em que me escreveu sobre a morte de Damián. Perguntou quem era Damián. Disse-lhe, em vão. Com um princípio de terror me dei conta de que me ouvia com estranheza, e busquei amparo numa discussão literária sobre os detratores de Emerson, poeta mais complexo, mais destro e sem dúvida mais singular que o infeliz Poe.

Devo registrar mais alguns fatos. Em abril recebi carta do coronel Dionisio Tabares; este já não estava ofuscado e agora se lembrava muito bem do entrerriano que ia na ponta da carga de Masoller e que naquela noite seus homens enterraram, ao pé da coxilha. Em julho passei por Gualeguaychú; não dei com o rancho de Damián, de quem já ninguém se lembrava. Quis saber do campeiro Diego Abaroa, que o viu morrer; ele falecera antes do inverno. Quis rememorar os traços de Damián; meses mais tarde, folheando alguns álbuns, constatei que o rosto sombrio que eu tinha conseguido evocar era o do célebre tenor Tamberlick, no papel de Otelo.

Passo agora às conjecturas. A mais fácil, mas também a menos satisfatória, postula dois Damians: o covarde, que morreu em Entre Ríos por volta de 1946; o valente, que morreu em Masoller em 1904. Seu defeito consiste em não explicar o realmente enigmático: os curiosos vaivéns da memória do coronel Tabares, o esquecimento que anula em tão pouco tempo a imagem e até o nome daquele que voltou. (Não aceito, não quero aceitar, uma conjectura mais simples: a de eu ter sonhado o primeiro.) Mais curiosa é a conjectura sobrenatural ideada por Ulrike von Kühlmann. Pedro Damián, dizia Ulrike, pereceu na batalha, e na hora de sua morte suplicou a Deus que o fizesse voltar a Entre Ríos. Deus vacilou um segundo antes de conceder a graça, e quem a pediu já estava morto, e alguns homens já o tinham visto cair. Deus, que não pode mudar o passado mas pode mudar as imagens do passado, transformou a imagem da morte na de um desfalecimento, e a sombra do entrerriano voltou à sua terra. Voltou, mas devemos lembrar sua condição de sombra. Viveu na solidão, sem mulher, sem amigos; tudo amou e tudo possuiu, mas de longe, como que do outro lado de um vidro; "morreu", e sua tênue imagem se perdeu, feito água na água. Essa conjectura é errônea, mas terá me sugerido a verdadeira (a que hoje tenho por verdadeira), que é ao mesmo tempo mais simples e mais inaudita. Descobri-a de um modo quase mágico no tratado *De omnipotentia*, de Pier Damiani, a cujo estudo fui levado por dois versos do canto XXI do *Paradiso*, que colocam precisamente um problema de identidade. No capítulo V daquele tratado, Pier Damiani sustenta, contra Aristóteles e Fredegar de Tours, que Deus pode fazer que o que um dia foi não tenha sido. Li aquelas velhas discussões teológicas e comecei a compreender a trágica história de dom Pedro Damián.

Adivinho-a assim. Damián se portou como um covarde no campo de Masoller, e dedicou a vida a corrigir essa vergonhosa fraqueza. Voltou a Entre Ríos; não levantou a mão para nenhum homem, não *marcou* ninguém, não buscou fama de valente, mas nos campos do —ancay se tornou duro, lidando com a terra e a criação chucra. Foi preparando, sem dúvida sem saber, o milagre. Pensou no mais fundo: se o destino me trouxer outra batalha, saberei merecê-la. Durante quarenta anos aguardou-a com obscura esperança, e o destino enfim a trouxe, na hora de sua morte. Trouxe-a na forma de delírio, mas já os gregos sabiam que somos as sombras de um sonho. Na agonia reviveu a batalha, e se portou como homem e encabeçou a carga final e uma bala o acertou em cheio no peito. Assim, em 1946, por obra de uma longa paixão, Pedro Damián morreu na derrota de Masoller, que aconteceu entre o inverno e a primavera de 1904.

Na *Suma teológica* nega-se que Deus possa fazer que o passado não tenha sido, mas nada se diz da intrincada concatenação de causas e efeitos, que é tão vasta e tão íntima que talvez não se pudesse anular *um único* fato remoto, por insignificante que fosse, sem invalidar o presente. Modificar o passado não é modificar um fato só; é anular suas consequências, que tendem a ser infinitas. Dizendo com outras palavras: é criar duas histórias universais. Na primeira (digamos), Pedro Damián morreu em Entre Ríos, em 1946; na segunda, em Masoller, em 1904. Esta é a que vivemos agora, mas a supressão daquela não foi imediata e produziu as incoerências que relatei. No coronel Dionisio Tabares cumpriram-se as diversas etapas: no início recordou que Damián agiu como um covarde; depois, esqueceu totalmente; em seguida, recordou sua morte impetuosa. Não menos corroborativo é o caso do campeiro Abaroa; este morreu, entendo, porque tinha demasiadas lembranças de dom Pedro Damián.

Quanto a mim, penso não correr perigo análogo. Adivinhei e registrei um processo inacessível aos homens, uma espécie de escândalo da razão; mas algumas circunstâncias mitigam esse temível privilégio. Por ora, não estou certo de ter escrito sempre a verdade. Suspeito que em minha narrativa haja falsas lembranças. Suspeito que Pedro Damián (se existiu) não se chamou Pedro Damián, e que eu o lembro com esse nome para algum dia acreditar que sua história me tenha sido sugerida pelos argumentos de Pier Damiani. Algo parecido acontece com o poema que mencionei no primeiro parágrafo e que versa sobre a irrevocabilidade do passado. Por volta de 1951 acreditarei ter elaborado um conto fantástico e terei historiado um fato real; também o inocente Virgílio, faz quiçá dois mil anos, pensou anunciar o nascimento de um homem e vaticinava o de Deus.

Pobre Damián! A morte levou-o aos vinte anos numa triste guerra ignorada e numa batalha caseira, mas conseguiu o que seu coração almejava, e tardou muito a conseguir, e talvez não haja felicidade maior.

deutsches
requiem

Ainda que me tire a vida, n'Ele confiarei.
Jó 13,15

Meu nome é Otto Dietrich zur Linde. Um de meus antepassados, Christoph zur Linde, morreu na carga de cavalaria que decidiu a vitória de Zorndorf. Meu bisavô materno, Ulrich Forkel, foi assassinado na floresta de Marchenoir por franco-atiradores franceses, nos últimos dias de 1870; o capitão Dietrich zur Linde, meu pai, distinguiu-se no sítio de Namur, em 1914, e, dois anos mais tarde, na travessia do Danúbio.[1] Quanto a mim, serei fuzilado por tortura e assassinato. O tribunal procedeu com retidão; desde o início, eu me declarei culpado. Amanhã, quando o relógio da prisão der as nove, estarei morto; é natural que pense em meus ancestrais, já que tão perto estou da sombra deles, já que de alguma forma sou eles.

Durante o julgamento (que por sorte durou pouco) não falei; justificar-me, então, teria atrapalhado o veredicto e

---

1 É significativa a omissão do antepassado mais ilustre do narrador, o teólogo e hebraísta Johannes Forkel (1799-1846), que aplicou a dialética de Hegel à cristologia e cuja versão literal de alguns dos Livros Apócrifos mereceu a censura de Hengstenberg e a aprovação de Thilo e Geseminus. (Nota do Editor)

teria parecido covardia. Agora as coisas mudaram; nesta noite que precede minha execução, posso falar sem medo. Não pretendo ser perdoado, porque não sinto culpa, mas quero ser compreendido. Os que souberem ouvir-me, compreenderão a história da Alemanha e a futura história do mundo. Eu sei que casos como o meu, excepcionais e assombrosos agora, serão muito em breve triviais. Amanhã morrerei, mas sou um símbolo das gerações futuras.

Nasci em Marienburg, em 1908. Duas paixões, agora quase esquecidas, permitiram-me enfrentar com coragem e até felicidade muitos anos infaustos: a música e a metafísica. Não posso mencionar todos os meus benfeitores, mas há dois nomes que não me resigno a omitir: o de Brahms e o de Schopenhauer. Também frequentei a poesia; a esses nomes quero juntar outro vasto nome germânico, William Shakespeare. Antes, a teologia tinha me interessado, mas Schopenhauer me afastou para sempre dessa disciplina fantástica (e da fé cristã), por razões diretas; Shakespeare e Brahms, pela ínfima variedade do mundo deles. Quem se detiver maravilhado, trêmulo de ternura e gratidão, diante de qualquer passagem da obra desses felizardos, saiba que eu também me detive ali, eu, o abominável.

Por volta de 1927 entraram em minha vida Nietzsche e Spengler. Observa um escritor do século XVIII que ninguém quer dever nada a seus contemporâneos; eu, para me libertar de uma influência que pressenti opressora, escrevi um artigo intitulado *Abrechnung mit Spengler*, no qual dava a entender que o monumento mais inequívoco dos traços que o autor chama fáusticos não é o drama heterogêneo de Goethe,[2] mas um poema redigido há vinte séculos, o *De rerum natura*. Fiz justiça, no entanto, à sinceridade do filósofo da história, a seu espírito radicalmente alemão (*kerndeutsch*), militar. Em 1929 entrei no Partido.

Pouco direi de meus anos de aprendizagem. Foram mais árduos para mim que para muitos outros, já que, apesar de não carecer de valor, falta-me toda vocação para a violência. Compreendi, entretanto, que estávamos à beira de um tempo novo e que esse tempo, comparável às épocas iniciais do Islã ou do cristianismo, exigia homens novos. Individualmente, meus camaradas me eram odiosos; procurei, em vão, pensar que não éramos indivíduos para o alto fim que nos congregava.

Asseveram os teólogos que, se a atenção do Senhor se desviasse um único segundo de minha mão direita que escreve, esta recairia no nada, como se fosse fulminada por um fogo sem luz. Ninguém pode ser, digo, ninguém pode provar um copo d'água ou partir uma fatia de pão, sem justificativa. Para cada homem, essa justificativa é diferente; eu esperava a guerra inexorável que provaria nossa fé. Bastava-me saber que eu seria um soldado de suas batalhas. Uma vez temi que a covardia da Inglaterra e da Rússia nos defraudasse. O acaso, ou o destino, teceu de outra maneira meu futuro: no dia 1º de março de 1939, ao escurecer, houve distúrbios em Tilsit que os jornais não registraram; na rua atrás da sinagoga, duas

---

2 Outras nações vivem com inocência, em si e para si como os minerais ou os meteoros; a Alemanha é o espelho universal que a todas agasalha, a consciência do mundo (*das Weltbewusstsein*). Goethe é o protótipo dessa compreensão ecumênica. Não o censuro, mas não vejo nele o homem fáustico da tese de Spengler.

balas me atravessaram a perna, que foi preciso amputar.[3] Dias mais tarde, nossos exércitos entravam na Boêmia; quando as sirenes o proclamaram, eu estava no sedentário hospital, tentando me perder e esquecer nos livros de Schopenhauer. Símbolo de meu destino inútil, um gato enorme e fofo dormia na beira da janela.

No primeiro volume de *Parerga und Paralipomena* reli que todos os fatos que podem ocorrer a um homem, desde o instante de seu nascimento até o de sua morte, foram prefixados por ele. Assim, toda negligência é deliberada, todo encontro casual um encontro marcado, toda humilhação uma penitência, todo fracasso uma misteriosa vitória, toda morte um suicídio. Não há consolo mais hábil que o pensamento segundo o qual escolhemos nossas infelicidades; essa teleologia individual nos revela uma ordem secreta e prodigiosamente nos confunde com a divindade. Que ignorado propósito (cavilei) me fez procurar naquele entardecer aquelas balas e aquela mutilação? Não o temor da guerra, eu sabia; algo mais profundo. Afinal acreditei entender. Morrer por uma religião é mais simples que vivê-la na plenitude; batalhar em Éfeso contra as feras é menos duro (milhares de mártires obscuros o fizeram) que ser Paulo, servo de Jesus Cristo; um ato é menos que todas as horas de um homem. A batalha e a glória são *facilidades*; mais árdua que a empreitada de Napoleão foi a de Raskolnikov. No dia 7 de fevereiro de 1941 fui nomeado subdiretor do campo de concentração de Tarnowitz.

---

[3] Murmura-se que as consequências desse ferimento foram muito graves.

O exercício desse cargo não me foi grato; mas não pequei nunca por negligência. O covarde é posto à prova entre as espadas; o misericordioso, o piedoso, busca o exame dos cárceres e da dor alheia. O nazismo é, intrinsecamente, um fato moral, um despojar-se do velho homem, que está viciado, para vestir o novo. Na batalha essa transformação é comum, em meio ao clamor dos capitães e ao vozerio; não assim num rude calabouço, onde nos tenta com antigas ternuras a insidiosa piedade. Não escrevo em vão essa palavra; a piedade pelo homem superior é o último pecado de Zaratustra. Quase o cometi (confesso) quando nos remeteram de Breslau o insigne poeta David Jerusalem.

Era um homem de cinquenta anos. Pobre de bens deste mundo, perseguido, negado, vituperado, dedicara seu gênio a cantar a felicidade. Creio recordar que Albert Soergel, em sua obra *Dichtung der Zeit*, equipara-o a Whitman. A comparação não é feliz; Whitman celebra o universo de um modo prévio, geral, quase indiferente; Jerusalem se alegra com cada coisa, com minucioso amor. Não comete jamais enumerações, catálogos. Ainda consigo repetir muitos hexâmetros daquele profundo poema intitulado "Tse Yang, pintor de tigres", que está por assim dizer rajado de tigres, que está repleto e varado de tigres transversais e silenciosos. Tampouco esquecerei o solilóquio *Rosencrantz fala com o Anjo*, em que um prestamista londrino do século XVI tenta em vão, ao morrer, justificar suas culpas, sem suspeitar que a justificativa secreta de sua vida é ter inspirado a um dos seus clientes (que o viu uma única vez e de quem não se lembra) o caráter de Shylock. Homem de olhos memoráveis, de pele citrina, de barba quase preta, David Jerusalem era o protótipo do judeu sefardi, embora pertencesse aos depravados e detestados asquenazes. Fui severo com ele; não permiti que me abrandassem nem a compaixão nem sua glória. Eu tinha compreendido havia muitos anos que não existe coisa no mundo que não seja germe de um possível Inferno; um rosto, uma palavra, uma bússola, um anúncio de cigarros, poderiam enlouquecer uma pessoa, se ela não conseguisse esquecê-los. Não estaria louco um homem que continuamente imaginasse o mapa da Hungria? Decidi aplicar esse princípio ao regime disciplinar de nossa casa e...[4] No final de 1942, Jerusalem perdeu a razão; no dia 1º de março de 1943, conseguiu se matar.[5]

Ignoro se Jerusalem compreendeu que, se o destruí, foi para destruir minha piedade. A meu ver, não era um homem, nem sequer um judeu; tinha se transformado no símbolo de uma detestada zona de minha alma. Eu agonizei com ele, morri com ele, de alguma forma me perdi com ele; por isso, fui implacável.

Enquanto isso, giravam sobre nós os grandes dias e as grandes noites de uma guerra feliz. Havia no ar que respirávamos um sentimento parecido ao amor. Como se bruscamente o mar estivesse perto, havia um assombro

---

4 Foi inevitável aqui omitir algumas linhas.
5 Nem nos arquivos nem na obra de Soergel figura o nome de Jerusalem. As histórias da literatura alemã também não o registram. Não creio, contudo, que se trate de um personagem falso. Por ordem de Otto Dietrich zur Linde foram torturados em Tarnowitz muitos intelectuais judeus, entre eles a pianista Emma Rosenzweig. "David Jerusalem" é talvez um símbolo de vários indivíduos. Dizem que morreu no dia 1º de março de 1943; no dia 1º de março de 1939, o narrador foi ferido em Tilsit.

e uma exaltação no sangue. Tudo, naqueles anos, era diferente; até o sabor do sonho. (Eu talvez não tenha sido completamente feliz, mas é sabido que a desventura requer paraísos perdidos.) Não há homem que não aspire à plenitude, ou seja, à soma de experiências de que um homem é capaz; não há homem que não tema ser destituído de alguma porção desse patrimônio infinito. Mas minha geração teve tudo, porque primeiro se deparou com a glória e só depois com a derrota.

Em outubro ou novembro de 1942, meu irmão Friedrich pereceu na segunda batalha de El Alamein, nos areais egípcios; um bombardeio aéreo, meses mais tarde, destroçou nossa casa natal; outro, no final de 1943, meu laboratório. Acossado por vastos continentes, morria o Terceiro Reich; sua mão estava contra todos e as mãos de todos contra ele. Então, algo singular ocorreu, que agora creio entender. Eu me acreditava capaz de esgotar o copo de cólera, mas na borra me fez parar um sabor inesperado, o misterioso e quase terrível sabor da felicidade. Ensaiei diversas explicações; nenhuma me satisfez. Pensei: "É a derrota que me satisfaz, porque secretamente me considero culpado e só o castigo pode me redimir". Pensei: "É a derrota que me satisfaz, porque é um fim e estou muito cansado". Pensei: "É a derrota que me satisfaz, porque aconteceu, porque está inumeravelmente unida a todos os fatos que são, que foram, que serão, porque censurar ou deplorar um único fato real é blasfemar contra o universo". Ensaiei essas razões, até dar com a verdadeira.

Disseram que todos os homens nascem aristotélicos ou platônicos. Isso equivale a afirmar que não há debate de caráter abstrato que não seja um momento da polêmica de Aristóteles e Platão; através dos séculos e latitudes, mudam os nomes, os dialetos, os rostos, mas não os eternos antagonistas. Também a história dos povos registra uma continuidade secreta. Armínio, quando degolou num pântano as legiões de Varo, não se sabia precursor do Império Alemão; Lutero, tradutor da Bíblia, não suspeitava que seu objetivo era forjar um povo que destruísse para sempre a Bíblia; Christoph zur Linde, que foi morto por uma bala moscovita em 1758, preparou de alguma forma as vitórias de 1914; Hitler acreditava lutar por *um* país, mas lutou por todos, mesmo por aqueles que agrediu e detestou. Não importa que seu eu o ignorasse; seu sangue, sua vontade o sabiam. O mundo morria de judaísmo e dessa doença do judaísmo que é a fé de Jesus; nós lhe ensinamos a violência e a fé da espada. Essa espada nos mata e somos comparáveis ao feiticeiro que tece um labirinto e se vê forçado a errar nele até o fim de seus dias, ou a David, que julga um desconhecido e o condena à morte e ouve mais tarde a revelação: "Tu és aquele homem". Muitas coisas é preciso destruir para construir a nova ordem; agora sabemos que a Alemanha era uma dessas coisas. Demos algo mais do que nossa vida, demos a sorte de nosso querido país. Que outros maldigam e outros chorem; eu me regozijo de que nosso dom seja orbicular e perfeito.

Uma época implacável pesa agora sobre o mundo. Nós a forjamos, nós, que já somos sua vítima. Que importa que a Inglaterra seja o martelo e nós a bigorna? O importante é que mande a violência, não a servil timidez cristã. Se a vitória e a injustiça e a felicidade não são para a Alemanha, que sejam para as outras nações. Que o céu exista, embora nosso lugar seja o inferno.

Contemplo meu rosto no espelho para saber quem sou, para saber como me comportarei dentro de algumas horas, quando me defrontar com o fim. Minha carne pode ter medo; eu, não.

a busca
de averróis

*S'imaginant que la tragédie n'est autre
chose que l'art de louer...*
Ernest Renan, *Averroès*, 48 (1861)

Abu al-Walid Muhammad ibn Ahmad ibn Muhammad ibn Ruchd (levaria um século para esse longo nome chegar a Averróis, passando por Benraist e por Avenryz, e até por Aben-Rassad e Filius Rosadis) redigia o capítulo XI da obra *Tahafut-ul-Tahafut* (Destruição da Destruição), em que afirma, contra o asceta persa Ghazali, autor do *Tahafut-ul-falasifa* (Destruição dos filósofos), que a divindade só conhece as leis gerais do universo, o que concerne às espécies, não ao indivíduo. Escrevia com lenta segurança, da direita para a esquerda; o exercício de formular silogismos e encadear vastos parágrafos não o impedia de sentir, como um bem-estar, a casa fresca e profunda que o rodeava. No fundo da sesta arrulhavam amorosas pombas; de algum pátio invisível se erguia o rumor de uma fonte; algo na carne de Averróis, cujos antepassados procediam dos desertos árabes, agradecia a constância da água. Embaixo estavam os jardins, o pomar; mais abaixo, o agitado Guadalquivir e depois a querida cidade de Córdoba, não menos clara que Bagdá ou o Cairo, como um complexo e delicado instrumento, e ao redor (isso Averróis sentia também) se estendia até o horizonte a terra da Espanha, em que há poucas coisas mas onde cada uma parece estar de um modo substantivo e eterno.

A pena corria sobre a folha, os argumentos se enlaçavam, irrefutáveis, mas uma leve preocupação empanou a felicidade de Averróis. Não era causada pelo *Tahafut*, trabalho fortuito, mas por um problema de índole filológica vinculado à obra monumental que o justificaria perante as gerações: o comentário de Aristóteles. Esse grego, manancial de toda a filosofia, fora outorgado aos homens para lhes ensinar tudo o que se pode saber; interpretar seus livros como os ulemás interpretam o Corão era o árduo propósito de Averróis. Poucas coisas mais belas e mais patéticas registrará a história que essa consagração de um médico árabe aos pensamentos de um homem de quem o separavam catorze séculos; às dificuldades intrínsecas devemos acrescentar que Averróis, ignorando o siríaco e o grego, trabalhava sobre a tradução de uma tradução. Na véspera, duas palavras duvidosas o haviam detido no começo da *Poética*. Essas palavras eram *tragédia* e *comédia*. Anos antes, ele as encontrara no livro 3 da *Retórica*; ninguém, no âmbito do Islã, atinava com o que queriam dizer. Em vão tinha exaurido as páginas de Alexandre de Afrodísia, em vão tinha compulsado as versões do nestoriano Hunain ibn Ishaq e de Abu Bashar Mata. Essas duas palavras arcanas pululavam no texto da *Poética*; impossível evitá-las.

Averróis deixou a pena. Disse para si mesmo (sem demasiada fé) que costuma estar muito perto o que buscamos, guardou o manuscrito do *Tahafut* e se dirigiu à prateleira onde se alinhavam, copiados por calígrafos persas, os numerosos volumes do *Mohkam* do cego Abensida. Era irrisório imaginar que não os tivesse consultado, mas foi tentado pelo ocioso prazer de virar suas páginas. Dessa estudiosa distração tirou-o uma espécie de melodia. Olhou pelo balcão gradeado; embaixo, no estreito pátio de terra, brincavam alguns meninos seminus. Um, de pé nos ombros de outro, bancava obviamente um muezim; com os olhos bem fechados, salmodiava "Não há outro deus a não ser Deus". O menino que o sustentava, imóvel, fazia as vezes de minarete; outro, abjeto no pó e de joelhos, era a congregação dos fiéis. A brincadeira durou pouco: todos queriam ser o muezim, ninguém os congregados ou a torre. Averróis ouviu sua disputa em dialeto *grosseiro*, ou seja, no incipiente espanhol da plebe muçulmana da península. Abriu o *Quitah-ul-ain* de Jalil e pensou com orgulho que em toda a Córdoba (talvez em todo o Al-Andalus) não houvesse outra cópia da obra perfeita a não ser aquela que o emir Yacub Almansur lhe remetera de Tânger. O nome desse porto o fez lembrar que o viajante Abulcassim al-Ashari, de volta do Marrocos, jantaria com ele naquela noite, na casa do alcoranista Farach. Abulcassim dizia ter chegado até os reinos do império de Sin (da China); seus detratores, com a lógica peculiar que dá o ódio, juravam que ele nunca havia pisado na China e que nos templos desse país blasfemara contra Alá. Inevitavelmente, a reunião duraria algumas horas; Averróis, com pressa, retomou a escrita do *Tahafut*. Trabalhou até o crepúsculo da noite.

O diálogo, na casa de Farach, passou das incomparáveis virtudes do governador às de seu irmão, o emir; depois, no jardim, falaram de rosas. Abulcassim, que não olhara para elas, jurou que não havia rosas como as que decoram as chácaras andaluzas. Farach não se deixou subornar; observou que o douto Ibn Qutaiba descreve uma excelente variedade da rosa perpétua que dá nos jardins do Hindustão e cujas pétalas, de um vermelho encarnado, apresentam caracteres que dizem: *Não há outro deus a não ser Deus, Muhammad é o Apóstolo de Deus*. Acrescentou que Abulcassim, sem dúvida, conheceria aquelas rosas. Abulcassim olhou para ele alarmado. Se respondesse que sim, todos o julgariam, com razão, o mais disponível e casual dos impostores; se respondesse que não, julgá-lo-iam um infiel. Optou por sussurrar que com o Senhor estão as chaves das coisas ocultas e que não há na Terra uma coisa verde ou uma coisa murcha que não se ache registrada em Seu Livro. Essas palavras pertencem a uma das primeiras suratas; foram acolhidas por um murmúrio reverencial. Envaidecido por aquela vitória dialética, Abulcassim ia pronunciar que o Senhor é perfeito em suas obras e inescrutável. Então Averróis declarou, prefigurando as remotas razões de um ainda problemático Hume:

— Para mim custa menos admitir um erro no douto Ibn Qutaiba, ou nos copistas, do que aceitar que a terra dá rosas com profissão de fé.

— Assim é. Grandes e verdadeiras palavras — disse Abulcassim.

— Algum viajante — lembrou o poeta Abdalmalik — fala de uma árvore cujo fruto são pássaros verdes. Para mim é menos difícil acreditar nele do que em rosas com letras.

— A cor dos pássaros — disse Averróis — parece facilitar o portento. Além disso, os frutos e os pássaros pertencem ao mundo natural, mas a escrita é uma arte. Passar de folhas a pássaros é mais fácil do que de rosas a letras.

Outro hóspede negou com indignação que a escrita fosse uma arte, já que o original do Corão — *a Mãe do Livro* — é anterior à Criação e é guardado no céu. Outro falou de Chahiz de Basra, que disse que o Corão é uma substância que pode tomar a forma de um homem ou a de um animal, opinião que parece convir com a daqueles que lhe atribuem duas caras. Farach expôs longamente a doutrina ortodoxa. O Corão (disse) é um dos atributos de Deus, como Sua piedade; pode ser copiado num livro, pronunciado com a língua, recordado no coração, e o idioma e os signos e a escrita são obra dos homens, mas o Corão é irrevogável e eterno. Averróis, que tinha comentado a *República*, poderia ter dito que a Mãe do Livro é algo assim como seu modelo platônico, mas notou que a teologia era um tema completamente inacessível a Abulcassim.

Outros, que também se deram conta disso, instaram Abulcassim a contar alguma maravilha. Então como agora, o mundo era atroz; os audazes podiam percorrê-lo, mas também os miseráveis, os que se curvam a tudo. A memória de Abulcassim era um espelho de íntimas covardias. Que podia contar? Além do mais, exigiam dele maravilhas e a maravilha talvez seja incomunicável: a lua de Bengala não é igual à lua do Iêmen, mas pode ser descrita com os mesmos vocábulos. Abulcassim vacilou; depois, falou:

— Quem percorre os climas e as cidades — proclamou com unção — vê muitas coisas que são dignas de crédito. Esta, digamos, que só contei uma vez, ao rei dos turcos. Aconteceu em Sin Kalan (Cantão), onde o rio da Água da Vida se despeja no mar.

Farach perguntou se a cidade ficava a muitas léguas

da muralha que Iskandar Zul Qarnain (Alexandre Bicorne da Macedônia) ergueu para deter Gog e Magog.

— Desertos a separam — disse Abulcassim, com involuntária soberba. — Quarenta dias levaria uma cáfila (caravana) para divisar suas torres e dizem que outros tantos para chegar até ela. Em Sin Kalan não sei de ninguém que a tenha visto ou tenha visto quem a viu.

O temor do crassamente infinito, do mero espaço, da mera matéria, tocou por um instante Averróis. Olhou o jardim simétrico; sentiu-se envelhecido, inútil, irreal. Dizia Abulcassim:

— Uma tarde, os mercadores muçulmanos de Sin Kalan me conduziram a uma casa de madeira pintada onde moravam muitas pessoas. Não se pode contar como era aquela casa, que era propriamente um único quarto, com fileiras de armários ou de balcões, uns sobre os outros. Nessas cavidades havia gente que comia e bebia; e da mesma forma no chão e num terraço. As pessoas desse terraço tocavam tambor e alaúde, exceto umas quinze ou vinte (com máscaras carmesins), que rezavam, cantavam e dialogavam. Estavam na prisão, mas ninguém via as celas; cavalgavam, mas não se percebia o cavalo; combatiam, mas as espadas eram de cana; morriam e em seguida estavam de pé.

— Os atos dos loucos — disse Farach — excedem as previsões do homem sensato.

— Não eram loucos — teve de explicar Abulcassim. — Estavam imaginando, disse-me um mercador, uma história.

Ninguém compreendeu, ninguém pareceu querer compreender. Abulcassim, confuso, passou da referida narração às desajeitadas explicações. Disse, ajudando-se com as mãos:

— Imaginemos que alguém mostre uma história em vez de contá-la. Por exemplo, aquela história dos adormecidos de Éfeso. Nós os vemos retirando-se para a caverna, orando e dormindo, dormindo com os olhos abertos, crescendo enquanto dormem, acordando depois de trezentos e nove anos, entregando ao vendedor uma moeda antiga, acordando no paraíso, acordando com o cachorro. Foi algo assim que as pessoas do terraço nos mostraram naquela tarde.

— As pessoas falavam? — indagou Farach.

— Claro que falavam — disse Abulcassim, transformado em apologista de uma função que mal recordava e que o tinha entediado bastante. — Falavam e cantavam e peroravam!

— Nesse caso — disse Farach — não havia necessidade de *vinte* pessoas. Um só falante pode contar qualquer coisa, por mais complexa que seja.

Todos aprovaram essa opinião. Encareceram as virtudes do árabe, que é o idioma que Deus usa para comandar os anjos; em seguida, da poesia dos árabes. Abdalmalik, depois de louvá-la devidamente, tachou de antiquados os poetas que em Damasco ou em Córdoba se aferravam a imagens pastoris e a um vocabulário beduíno. Disse que era absurdo que um homem ante cujos olhos se estendia o Guadalquivir celebrasse a água de um poço. Insistiu na conveniência de renovar as antigas metáforas; disse que, quando Zuhair comparou o destino com um camelo cego, essa figura conseguiu surpreender as pessoas, mas que cinco séculos de admiração a tinham desgastado. Todos aprovaram essa opinião, que já haviam escutado muitas vezes, de muitas bocas. Averróis permanecia calado. Por fim falou, menos para os demais que para si mesmo.

— Com menos eloquência — disse Averróis —, mas com argumentos semelhantes, defendi certa vez a proposição que sustenta Abdalmalik. Na Alexandria disseram que somente é incapaz de uma culpa quem já a cometeu e já se arrependeu; para ficar livre de um erro, acrescentemos, convém tê-lo professado. Zuhair, em sua *mu'allaqat*,* diz que, no decurso de oitenta anos de dor e glória, viu muitas vezes o destino atropelar de repente os homens, como um camelo cego. Abdalmalik entende que essa figura já não consegue maravilhar. A esse reparo caberia responder de muitas formas. A primeira, que, se o objetivo do poema fosse o assombro, seu tempo não se mediria por séculos, mas por dias e por horas e talvez por minutos. A segunda, que um famoso poeta é menos inventor que descobridor. Para elogiar Ibn Sharaf de Berja, repetiram que só ele conseguiu imaginar que as estrelas no alvorecer caem lentamente, como as folhas caem das árvores; isso, se fosse verdade, evidenciaria que a imagem é insignificante. A imagem que um único homem pode conceber é a que não toca ninguém. Infinitas coisas existem na Terra; qualquer uma pode se equiparar a qualquer outra. Comparar estrelas com folhas não é menos arbitrário que compará-las com peixes ou com pássaros. Em compensação, ninguém deixou de sentir alguma vez que o destino é poderoso e estúpido, que é inocente e também inumano. Para essa convicção, que pode ser passageira ou contínua

---

* Forma clássica de poema da poesia árabe.

mas que ninguém evita, foi escrito o verso de Zuhair. Não se dirá melhor o que ali se disse. Além disso (e isto é talvez o principal de minhas reflexões), o tempo que arruína os alcáceres enriquece os versos. O de Zuhair, quando ele o compôs na Arábia, serviu para confrontar duas imagens, a do velho camelo e a do destino: repetido agora, serve para a memória de Zuhair e para confundir nossos pesares com os daquele árabe morto. Dois termos tinha a figura e hoje tem quatro. O tempo aumenta o âmbito dos versos e sei de alguns que, à maneira da música, são tudo para todos os homens. Assim, faz anos, atormentado em Marrakech por lembranças de Córdoba, comprazia-me em repetir a apóstrofe que Abdurrahman dirigiu, nos jardins de Ruzafa, a uma palmeira africana:

Tu também és, ó palmeira!
Neste solo estrangeira...

Singular benefício, o da poesia; palavras redigidas por um rei que ansiava pelo oriente serviram a mim, desterrado na África, para minha nostalgia da Espanha.

Averróis, mais tarde, falou dos primeiros poetas, daqueles que no Tempo da Ignorância, antes do Islã, já tinham dito todas as coisas, na infinita linguagem dos desertos. Alarmado, não sem razão, pelas frivolidades de Ibn Sharaf, disse que nos antigos e no Corão estava condensada toda a poesia e condenou por analfabeta e vã a ambição de inovar. Os demais o escutaram com prazer, porque defendia as coisas antigas.

Os muezins chamavam para a oração da primeira luz quando Averróis voltou a entrar na biblioteca. (No harém, as escravas de cabelo negro haviam torturado uma escrava de cabelo ruivo, mas ele ficaria sabendo somente à tarde.) Algo lhe revelara o sentido das duas palavras obscuras. Com firme e cuidadosa caligrafia acrescentou estas linhas ao manuscrito: "Aristu (Aristóteles) denomina tragédia aos panegíricos e comédias às sátiras e aos anátemas. Admiráveis tragédias e comédias são numerosas nas páginas do Corão e nas *mu'allaqats* do santuário". Sentiu sono, sentiu um pouco de frio. Solto o turbante, olhou-se num espelho de metal. Não sei o que viram seus olhos, porque nenhum historiador descreveu as formas de seu rosto. Sei que desapareceu repentinamente, como se um fogo sem luz o tivesse fulminado, e que com ele desapareceram a casa e a invisível fonte e os livros e os manuscritos e as pombas e as muitas escravas de cabelo negro e a trêmula escrava de cabelo ruivo e Farach e Abulcassim e os roseirais e talvez o Guadalquivir.

Na história anterior eu quis narrar o processo de uma derrota. Pensei, primeiro, naquele arcebispo de Canterbury que se propôs demonstrar que existe um Deus; depois, nos alquimistas, que buscaram a pedra filosofal; depois, nos vãos trissectores do ângulo e retificadores do círculo. Refleti, mais tarde, que mais poético é o caso de um homem que se propõe um objetivo que não é proibido para os outros, mas sim para ele. Recordei Averróis, que, encerrado no âmbito do Islã, nunca conseguiu saber o significado dos vocábulos *tragédia* e *comédia*. Relatei o caso; à medida que progredia, senti o que deve ter sentido aquele deus mencionado por Burton que se propôs criar um touro e criou um búfalo. Senti que a obra zombava de mim. Senti que Averróis, querendo imaginar o que é um drama sem ter ideia do que é um teatro, não era mais absurdo que eu, querendo imaginar Averróis, sem outro material além de algumas migalhas de Renan, de Lane e de Asín Palacios. Senti, na última página, que minha narrativa era um símbolo do homem que eu fui enquanto a escrevia e que, para redigir essa narrativa, eu tive de ser aquele homem e que, para ser aquele homem, eu tive de redigir essa narrativa, e assim até o infinito. (No instante em que deixo de acreditar nele, "Averróis" desaparece.)

o zahir

Em Buenos Aires o Zahir é uma moeda comum, de vinte centavos; marcas de navalha ou de canivete riscam as letras N T e o número 2; 1929 é a data gravada no anverso. (Em Guzerate, no final do século XVIII, um tigre foi Zahir; em Java, um cego da mesquita de Surakarta, a quem os fiéis lapidaram; na Pérsia, um astrolábio que Nadir Shah mandou atirar no fundo do mar; nas prisões de Mahdi, por volta de 1892, uma pequena bússola que Rudolf Carl von Slatin tocou, envolta num retalho de turbante; na mesquita de Córdoba, segundo Zotenberg, um veio no mármore de um dos mil e duzentos pilares; no gueto de Tetuán, o fundo de um poço.) Hoje é dia 13 de novembro; no dia 7 de junho, de madrugada, chegou às minhas mãos o Zahir; não sou quem eu era então, mas ainda me é dado recordar, e talvez relatar, o acontecido. Ainda, embora parcialmente, sou Borges.

No dia 6 de junho morreu Teodelina Villar. Seus retratos, por volta de 1930, obstruíam as revistas mundanas; essa pletora talvez tenha contribuído para que a julgassem muito bonita, ainda que nem todas as imagens apoiassem incondicionalmente essa hipótese. Além do mais, Teodelina Villar se preocupava menos com a beleza do que com a perfeição. Os hebreus e os chineses codificaram todas as circunstâncias humanas; na *Mishnah* se lê que, iniciado o crepúsculo do sábado, um alfaiate não deve sair na rua com uma agulha; no *Livro dos ritos*, que um hóspede, ao receber a primeira taça, deve assumir um ar grave e, ao receber a segunda, um ar respeitoso e feliz. Análogo, porém mais minucioso, era o rigor que Teodelina Villar exigia de si mesma. Buscava, como o adepto de Confúcio ou o talmudista, a irrepreensível correção de cada ato, mas seu empenho era mais admirável e mais duro, porque as normas de seu credo não eram eternas, e se dobravam aos acasos de Paris ou de Hollywood. Teodelina Villar mostrava-se em lugares ortodoxos, na hora ortodoxa, com atributos ortodoxos, com fastio ortodoxo, mas o fastio, os atributos, a hora e os lugares caducavam quase imediatamente e serviriam (na boca de Teodelina Villar) para definição do mau gosto. Buscava o absoluto, como Flaubert, mas o absoluto no momentâneo. Sua vida era exemplar e, no entanto, um desespero interior a roía sem trégua. Ensaiava contínuas metamorfoses, como que para fugir de si mesma; a cor de seu cabelo e as formas de seu penteado eram famosamente instáveis. Também mudavam o sorriso, a tez, a esguelha dos olhos. Desde 1932, foi estudadamente magra... A guerra lhe deu muito que pensar. Uma vez ocupada Paris pelos alemães, como seguir a moda? Um estrangeiro de quem ela sempre desconfiara se permitiu abusar de sua boa-fé para lhe vender uma porção de chapéus cilíndricos; um ano depois, propalou-se que esses estrupícios *nunca tinham sido usados em Paris* e, por conseguinte, não eram chapéus, mas caprichos arbitrários e desautorizados. As desgraças não vêm sozinhas; o doutor Villar teve de mudar-se para a rua Aráoz e o retrato de sua filha decorou anúncios de cremes e de automóveis. (Os cremes que ela fartamente se aplicava, os automóveis que ela já *não* possuía!) Ela sabia que o bom exercício de sua arte exigia uma grande fortuna; preferiu retirar-se a claudicar. Além do mais, desgostava-a competir com garotinhas insubstanciais. O sinistro apartamento de Aráoz se tornou demasiado dispendioso; no dia 6 de junho, Teodelina Villar cometeu o solecismo de morrer em pleno Bairro Sul. Confessarei que, movido pela mais sincera das paixões argentinas, o esnobismo, eu estava apaixonado por ela e que sua morte me afetou até as lágrimas? Talvez o leitor já tenha suspeitado disso.

Nos velórios, o avanço da decomposição faz com que o morto recupere suas feições anteriores. Em alguma etapa da confusa noite do dia 6, Teodelina Villar foi magicamente a que tinha sido vinte anos antes; seus traços recobraram a autoridade que dão a soberba, o dinheiro, a juventude, a consciência de coroar uma hierarquia, a falta de imaginação, as limitações, a estultice. Pensei mais ou menos: nenhuma versão daquele rosto que tanto me inquietou será tão memorável quanto essa; convém que seja a última, já que pôde ser a primeira. Deixei-a rígida entre as flores, aperfeiçoando seu desdém através da morte. Seriam duas da manhã quando saí. Fora, as previsíveis fileiras de casas baixas e sobrados haviam adquirido aquele ar abstrato que costumam adquirir durante a noite, quando a sombra e o silêncio as simplificam. Ébrio de uma piedade quase impessoal, caminhei pelas ruas. Na esquina da Chile com a Tacuarí vi um armazém aberto. Naquele armazém, para minha desgraça, três homens jogavam truco.

Na figura que se chama *oximoro*, aplica-se a uma palavra um epíteto que parece contradizê-la; assim os gnósticos falaram de luz escura; os alquimistas, de um sol negro. Sair de minha última visita a Teodelina Villar e tomar uma aguardente num armazém era uma espécie de oximoro; a grosseria e a facilidade me tentaram. (O fato de que jogassem cartas aumentava o contraste.) Pedi uma aguardente de laranja; no troco me deram o Zahir; olhei-o por um instante; saí para a rua, talvez com um princípio de febre. Pensei que não existe moeda que não seja símbolo das moedas que resplandecem infindavelmente na história e na fábula. Pensei no óbolo de Caronte; no óbolo que Belisário pediu; nos trinta dinheiros de Judas; nas dracmas da cortesã Laís; na antiga moeda oferecida por um dos adormecidos de Éfeso; nas claras moedas do feiticeiro d'*As mil e uma noites*, que depois viram círculos de papel; no denário inesgotável de Isaac Laquedem; nas sessenta mil peças de prata, uma para cada verso de uma epopeia, que Firdusi devolveu a um rei porque não eram de ouro; na onça de ouro que Ahab mandou cravar no mastro; no florim irreversível de Leopold Bloom; no luís cuja efígie delatou, perto de Varennes, o fugitivo Luís XVI. Como num sonho, o pensamento de que toda moeda permite essas ilustres conotações me pareceu de vasta, embora inexplicável, importância. Percorri, em velocidade crescente, as ruas e as praças desertas. O cansaço me deixou numa esquina. Vi uma sofrida grade de ferro; atrás vi as lajotas pretas e brancas do adro da Concepción. Tinha vagado em círculo; agora estava a uma quadra do armazém onde haviam me dado o Zahir.

Virei a esquina; o canto escuro me indicou, de longe, que o armazém já estava fechado. Na rua Belgrano tomei um táxi. Insone, possesso, quase feliz, pensei que não existe nada menos material que o dinheiro, já que qualquer moeda (uma moeda de vinte centavos, digamos) é, a rigor, um repertório de futuros possíveis. O dinheiro é abstrato, repeti, o dinheiro é tempo futuro. Pode ser uma tarde nos arredores, pode ser uma música de Brahms, pode ser mapas, pode ser xadrez, pode ser café, pode ser as palavras de Epicteto, que ensinam o desprezo do ouro; é um Proteu mais versátil que o da ilha de Faros. É tempo imprevisível, tempo de Bergson, não duro tempo do Islã ou do Pórtico. Os deterministas negam que exista no mundo um único fato possível, *id est*, um fato que tivesse podido acontecer; uma moeda simboliza nosso livre-arbítrio. (Eu não suspeitava que esses "pensamentos" fossem um artifício contra o Zahir e uma primeira forma de sua influência demoníaca.) Dormi após tenazes cavilações, mas sonhei que eu era as moedas que um grifo vigiava.

No dia seguinte resolvi que estivera bêbado. Também resolvi me livrar da moeda que tanto me inquietava. Olhei-a: nada tinha de particular, exceto algumas ranhuras. Enterrá-la no jardim ou escondê-la num canto da biblioteca teria sido melhor, mas eu queria me afastar de sua órbita. Preferi perdê-la. Não fui ao Pilar, naquela manhã, nem ao cemitério; fui, de metrô, até a estação da Constitución e da Constitución até a San Juan com a Boedo. Desci, irrefletidamente, na estação Urquiza; dirigi-me ao oeste e ao sul; baralhei, com desordem estudada, umas quantas esquinas e, numa rua que me pareceu igual a todas, entrei num boteco qualquer, pedi uma aguardente e paguei-a com o Zahir. Entrecerrei os olhos, atrás dos óculos escuros; consegui não ver os números das casas nem o nome da rua. Naquela noite, tomei um comprimido de Veronal e dormi tranquilo.

Até o final de junho a tarefa de compor uma narrativa fantástica me distraiu. Ela contém duas ou três perífrases enigmáticas — em lugar de *sangue* vem *água da espada*; em lugar de *ouro*, *cama da serpente* — e é escrita em primeira pessoa. O narrador é um asceta que renunciou ao trato dos homens e vive numa espécie de páramo. (Gnitaheidr é o nome do lugar.) Dado o candor e a singeleza de sua vida, há quem o julgue um anjo; isso é um piedoso exagero, pois não há homem livre de culpa. Sem ir mais longe, ele mesmo degolou o pai; é bem verdade que este era um famoso feiticeiro que se apoderara, por meios mágicos, de um tesouro infinito. Resguardar o tesouro da cobiça insana dos humanos é a missão a que ele dedicou toda a sua vida; dia e noite vela por ele. Brevemente, talvez demasiado brevemente, essa vigília terá fim: as estrelas disseram que já foi forjada a espada que a truncará para sempre. (Gram é o nome dessa espada.) Num estilo cada vez mais tortuoso, ele louva o brilho e a flexibilidade de seu corpo; em algum parágrafo fala por distração em escamas; noutro diz que o tesouro que guarda é de ouro fulgurante e de anéis vermelhos. Por fim entendemos que o asceta é a serpente Fafnir e o tesouro em que jaz, o dos Nibelungos. A aparição de Sigurd interrompe bruscamente a história.

Eu disse que a execução dessa bobagem (em cujo decurso intercalei, pseudoeruditamente, um verso da *Fáfnis-*

mál) me permitiu esquecer a moeda. Houve noites em que me julguei tão seguro de conseguir esquecê-la que voluntariamente a rememorava. A verdade é que abusei desses momentos; dar início a eles se tornava mais fácil que lhes dar fim. Em vão repeti que aquele abominável disco de níquel não diferia dos demais que passam de mão em mão, iguais, infinitos e inofensivos. Impelido por essa reflexão, procurei pensar noutra moeda, mas não consegui. Também me lembro de alguns experimentos, frustrados, com cinco e dez centavos chilenos e com um vintém oriental. No dia 16 de julho adquiri uma libra esterlina; não a olhei durante o dia, mas naquela noite (e em outras) coloquei-a sob uma lente de aumento e a estudei à luz de uma poderosa lâmpada elétrica. Depois a desenhei com um lápis, através de um papel. De nada me valeram o fulgor e o dragão e o são Jorge; não consegui mudar de ideia fixa.

No mês de agosto, optei por consultar um psiquiatra. Não lhe confiei toda a minha ridícula história; disse-lhe que a insônia me atormentava e que a imagem de qualquer objeto costumava me perseguir: a de uma ficha ou a de uma moeda, digamos... Pouco depois, exumei numa livraria da rua Sarmiento um exemplar de *Urkunden zur Geschichte der Zahirsage* (Breslau, 1899), de Julius Barlach.

Naquele livro estava explicado meu mal. Segundo o prólogo, o autor se propôs "reunir num único volume em manejável *in-octavo* maior todos os documentos referentes à superstição do Zahir, inclusive quatro peças pertencentes ao arquivo de Habicht e o manuscrito original do informe de Philip Meadows Taylor". A crença no Zahir é islâmica e data, ao que parece, do século XVIII. (Barlach impugna as passagens que Zotenberg atribui a Abulfeda.)

Zahir, em árabe, quer dizer "notório", "visível"; em tal sentido, é um dos noventa e nove nomes de Deus; a plebe, em terras muçulmanas, emprega-o para "os seres ou coisas que têm a terrível virtude de ser inesquecíveis e cuja imagem acaba por enlouquecer as pessoas". O primeiro testemunho inconteste é o do persa Lutf Ali Azur. Nas páginas pontuais da enciclopédia biográfica intitulada *Templo do fogo*, esse polígrafo e dervixe narrou que num colégio de Xiraz existiu um astrolábio de cobre, "construído de tal modo que quem o olhasse uma vez não pensava noutra coisa e assim o rei ordenou que o atirassem no mais fundo do mar, para que os homens não se esquecessem do universo". Mais extenso é o informe de Meadows Taylor, que serviu o *nizam* de Haidarabad e compôs o famoso romance *Confessions of a Thug*. Por volta de 1832, Taylor ouviu nos arrabaldes de Bhuj a insólita locução "Ter visto o Tigre" (*Verily he has looked on the Tiger*) para significar a loucura ou a santidade. Disseram-lhe que a referência era a um tigre mágico que foi a perdição de quantos o viram, mesmo de muito longe, pois todos continuaram pensando nele até o fim de seus dias. Alguém disse que um daqueles desventurados fugira para Mysore, onde havia a imagem do tigre pintada num palácio. Anos mais tarde, Taylor visitou as prisões daquele reino; na de Nittur, o governador lhe mostrou uma cela em cujo chão, em cujos muros e em cuja abóbada um faquir muçulmano desenhara (em cores bárbaras que o tempo, em vez de apagar, refinava) uma espécie de tigre infinito. Esse tigre era feito de muitos tigres, de maneira vertiginosa; era atravessado por tigres, estava rajado de tigres, incluía mares e Himalaias e exércitos que pareciam outros tigres. O pintor morrera havia muitos anos, naquela mesma cela; vinha de Sind ou talvez de Guzerate e seu propósito inicial tinha sido traçar um mapa-múndi. Desse propósito restavam vestígios na monstruosa imagem. Taylor narrou a história a Muhammad Al-Yemeni, de Fort William; este disse-lhe que não havia criatura no planeta que não propendesse a *Zaheer*;[1] mas que o Todo-Misericordioso não deixa que duas coisas o sejam ao mesmo tempo, já que uma única pode fascinar multidões. Disse que sempre há um Zahir e que na Idade da Ignorância foi o ídolo que se chamou Yauq e depois um profeta do Kurassan, que usava um véu recamado de pedras ou uma máscara de ouro.[2] Também disse que Deus é inescrutável.

Li a monografia de Barlach muitas vezes. Não adivinho quais foram meus sentimentos; recordo o desespero quando compreendi que já nada me salvaria, o intrínseco alívio de saber que não era eu o culpado de minha desgraça, a inveja que me deram aqueles homens cujo Zahir não foi uma moeda mas um pedaço de mármore ou um tigre. Que empreitada fácil não pensar num tigre, refleti. Também recordo a singular inquietação com que li este parágrafo: "Um comentador do *Gulshan i Raz* diz que quem viu o Zahir em breve verá a Rosa, e cita um verso interpolado no *Asrar Nama* (Livro de coisas ignoradas) de Attar: o Zahir é a sombra da Rosa e a rasgadura do Véu".

---

1 Assim escreve Taylor essa palavra.
2 Barlach observa que Yauq figura no Corão (71,23) e que o profeta é Al--Moqanna (O Velado) e que ninguém, exceto o inesperado correspondente de Philip Meadows Taylor, vinculou-os ao Zahir.

Na noite em que velaram Teodelina, surpreendeu-me não ver entre os presentes a senhora de Abascal, sua irmã mais nova. Em outubro, uma amiga dela me disse:

— Pobre Julita, tinha ficado esquisitíssima e a internaram no Bosch. Que prostração não causará nas enfermeiras que lhe dão de comer na boca. Ela continua obcecada pela moeda, igualzinha ao *chauffeur* de Morena Sackmann.

O tempo, que atenua as lembranças, agrava a do Zahir. Antes eu imaginava o anverso e depois o reverso; agora, vejo os dois simultaneamente. Isso não acontece como se o Zahir fosse de vidro, pois uma face não se superpõe à outra; antes acontece como se a visão fosse esférica e o Zahir sobressaísse no centro. O que não é o Zahir me chega filtrado e como que distante: a desdenhosa imagem de Teodelina, a dor física. Disse Tennyson que, se pudéssemos compreender uma única flor, saberíamos quem somos e o que é o mundo. Talvez quisesse dizer que não existe fato, por mais humilde que seja, que não implique a história universal e sua infinita concatenação de causas e efeitos. Talvez quisesse dizer que o mundo visível se dá inteiro em cada representação, do mesmo modo que a vontade, segundo Schopenhauer, se dá inteira em cada sujeito. Os cabalistas entenderam que o homem é um microcosmo, um espelho simbólico do universo; tudo, segundo Tennyson, o seria. Tudo, até o intolerável Zahir.

Antes de 1948, o destino de Julia será o meu. Terão de me alimentar e vestir, não saberei se é de tarde ou de manhã, não saberei quem foi Borges. Qualificar de terrível esse futuro é uma falácia, já que nenhuma de suas circunstâncias terá sentido para mim. Isso equivaleria a sustentar que é terrível a dor de um anestesiado de quem

abrem o crânio. Já não perceberei o universo, perceberei o Zahir. Segundo a doutrina idealista, os verbos *viver* e *sonhar* são rigorosamente sinônimos; de milhares de aparências passarei a uma; de um sonho muito complexo a um sonho muito simples. Outros sonharão que estou louco e eu com o Zahir. Quando todos os homens da Terra pensarem, dia e noite, no Zahir, o que será sonho e o que realidade, a Terra ou o Zahir?
Nas horas desertas da noite ainda posso caminhar pelas ruas. A alvorada costuma me surpreender num banco da praça Garay, pensando (procurando pensar) naquela passagem do *Asrar Nama* em que se diz que o Zahir é a sombra da Rosa e a rasgadura do Véu. Vinculo esse juízo a esta notícia: para se perder em Deus, os sufis repetem seu próprio nome ou os noventa e nove nomes divinos até que estes já nada queiram dizer. Eu anseio por percorrer essa senda. Talvez eu acabe por desgastar o Zahir de tanto pensá-lo e repensá-lo; talvez atrás da moeda esteja Deus.

para Wally Zenner

a escrita do deus

A prisão é profunda e de pedra; sua forma, a de um hemisfério quase perfeito, se bem que o piso (que também é de pedra) seja um pouco menor que um círculo máximo, fato que agrava de certo modo os sentimentos de opressão e imensidade. Um muro corta-a no meio; embora altíssimo, ele não toca a parte superior da abóbada; de um lado estou eu, Tzinacán, mago da pirâmide de Qaholom, que Pedro de Alvarado incendiou; do outro há um jaguar, que mede com secretos passos iguais o tempo e o espaço do cativeiro. Ao rés do chão, uma longa janela com barras corta o muro central. Na hora sem sombra [o meio-dia], abre-se um alçapão no alto e um carcereiro que os anos foram apagando maneja uma roldana de ferro e desce até nós, na ponta de uma corda, cântaros com água e pedaços de carne. A luz entra na abóbada; nesse instante consigo ver o jaguar.

Perdi a conta dos anos que já passei na treva; eu, que um dia fui jovem e podia caminhar por esta prisão, não faço outra coisa a não ser aguardar, na postura de minha morte, o fim que os deuses me destinam. Com a funda faca de sílex abria o peito das vítimas e agora não conseguiria me levantar do pó sem magia.

Na véspera do incêndio da pirâmide, os homens que desceram de altos cavalos me castigaram com metais ardentes para que revelasse o lugar de um tesouro escondido. Derrubaram, diante de meus olhos, o ídolo do deus, mas este não me abandonou e me mantive em silêncio em meio aos tormentos. Dilaceraram-me, quebraram-me, deformaram-me e, depois, acordei neste cárcere que já não deixarei durante minha vida mortal. Premido pela fatalidade de fazer alguma coisa, de povoar de algum modo o tempo, quis recordar, em minha sombra, tudo o que sabia. Noites inteiras perdi rememorando a ordem e o número de algumas serpentes de pedra ou a forma de uma árvore medicinal. Assim fui debelando os anos, assim fui entrando na posse do que já era meu. Certa noite senti que me aproximava de uma lembrança precisa; antes de ver o mar, o viajante sente uma agitação no sangue. Horas mais tarde, comecei a avistar a lembrança; era uma das tradições do deus. Este, prevendo que no fim dos tempos ocorreriam muitas desventuras e ruínas, escreveu no primeiro dia da Criação uma sentença mágica, capaz de conjurar aqueles males. Escreveu-a de maneira que chegasse às mais distantes gerações e que não fosse tocada pelo acaso. Ninguém sabe em que ponto a escreveu nem com que caracteres, mas consta que perdura, secreta, e que um eleito a lerá. Considerei que estávamos, como sempre, no fim dos tempos e que meu destino de último sacerdote do deus me daria acesso ao privilégio de intuir aquela escrita. O fato de que uma prisão me rodeasse não me impedia essa esperança; talvez eu já tivesse visto milhares de vezes a inscrição de Qaholom e só me faltasse entendê-la.

Essa reflexão me animou e depois me infundiu uma espécie de vertigem. No âmbito da Terra existem formas antigas, formas incorruptíveis e eternas; qualquer uma delas podia ser o símbolo procurado. Uma montanha podia ser a palavra do deus, ou um rio ou o império ou a configuração dos astros. Mas no decorrer dos séculos as montanhas se aplainam e o curso de um rio costuma se desviar e os impérios conhecem mutações e estragos e a figura dos astros varia. No firmamento há mudança. A montanha e a estrela são indivíduos e os indivíduos caducam. Procurei algo mais persistente, mais invulnerável. Pensei nas gerações dos cereais, dos pastos, dos pássaros, dos homens. Talvez em meu rosto estivesse escrita a magia, talvez eu mesmo fosse a meta de minha busca. Estava nesse afã quando me lembrei de que o jaguar era um dos atributos do deus.

Então minha alma se encheu de piedade. Imaginei a primeira manhã do tempo, imaginei meu deus confiando a mensagem à pele viva dos jaguares, que se amariam e gerariam infindavelmente, em cavernas, em canaviais, em ilhas, para que os últimos homens a pudessem receber. Imaginei essa rede de tigres, esse candente labirinto de tigres, causando horror nas pradarias e nos rebanhos para conservar um desenho. Na outra cela havia um jaguar; em sua vizinhança percebi uma confirmação de minha conjectura e um secreto favor.

Dediquei longos anos a aprender a ordem e a configuração das manchas. Cada cega jornada me concedia um instante de luz, e assim consegui fixar na mente as negras formas que marcavam a pelagem amarela. Algumas incluíam pontos; outras formavam riscas transversais na face interior das pernas; outras, anulares, repetiam-se. Talvez fossem um mesmo som ou uma mesma palavra. Muitas tinham bordas vermelhas. Não vou falar das fadigas de meu trabalho. Mais de uma vez gritei para a abóbada que era impossível decifrar aquele texto. Gradualmente, o enigma concreto que me ocupava me inquietou menos que o enigma genérico de uma sentença escrita por um deus. Que tipo de sentença (perguntei a mim mesmo) construirá uma mente absoluta? Considerei que nem nas linguagens humanas existe proposição que não implique o universo inteiro; dizer *o tigre* é dizer os tigres que o geraram, os cervos e as tartarugas que devorou, o pasto de que se alimentaram os cervos, a terra que foi mãe do pasto, o céu que deu à luz a terra. Refleti que na linguagem de um deus toda palavra enunciaria essa infinita concatenação dos fatos, e não de um modo implícito, mas explícito, e não de um modo progressivo, mas imediato. Com o tempo, a noção de uma sentença divina me pareceu pueril ou blasfema. Um deus, pensei, só deve dizer uma palavra e nessa palavra a plenitude. Nenhuma voz articulada por ele pode ser inferior ao universo ou menos que a soma do tempo. Sombras ou simulacros dessa voz que equivale a uma linguagem e a todas as coisas que uma linguagem pode abranger são as ambiciosas e pobres vozes humanas, *tudo, mundo, universo*.

Um dia ou uma noite — entre meus dias e minhas noites, que diferença existe? — sonhei que no piso da prisão havia um grão de areia. Tornei a dormir, indiferente; sonhei que acordava e que havia dois grãos de areia. Tornei a dormir; sonhei que os grãos de areia eram três.

Foram, assim, multiplicando-se até preencher a prisão e eu morria sob aquele hemisfério de areia. Compreendi que estava sonhando; com um enorme esforço consegui despertar. O despertar foi inútil; a areia inumerável me sufocava. Alguém me disse: "Não acordaste para a vigília, mas para um sonho anterior. Esse sonho está dentro de outro, e assim até o infinito, que é o número dos grãos de areia. O caminho que terás de desandar é interminável e morrerás antes de ter acordado realmente".

Senti-me perdido. A areia me rasgava a boca, mas gritei: "Nenhuma areia sonhada consegue me matar, nem existem sonhos que estejam dentro de sonhos". Um clarão me acordou. Na treva superior delineava-se um círculo de luz. Vi o rosto e as mãos do carcereiro, a roldana, a corda, a carne e os cântaros.

Um homem se confunde, gradualmente, com a forma de seu destino; um homem é, afinal, suas circunstâncias. Mais que um decifrador ou um vingador, mais que um sacerdote do deus, eu era um prisioneiro. Do incansável labirinto de sonhos eu voltei para a dura prisão, como para minha casa. Bendisse a umidade, bendisse o tigre, bendisse a fresta de luz, bendisse meu velho corpo dolorido, bendisse a treva e a pedra.

Aconteceu então o que não consigo esquecer nem comunicar. Aconteceu a união com a divindade, com o universo (não sei se essas palavras diferem). O êxtase não repete seus símbolos; existe quem tenha visto Deus num clarão, existe quem o tenha percebido numa espada ou nos círculos de uma rosa. Eu vi uma Roda altíssima, que não estava diante de meus olhos, nem atrás, nem de lado, mas em toda parte, ao mesmo tempo. Essa

Roda era feita de água, mas também de fogo, e era (embora se visse a borda) infinita. Entretecidas, formavam-na todas as coisas que serão, que são e que foram, e eu era um dos fios daquela trama total, e Pedro de Alvarado, que me torturou, era outro. Ali estavam as causas e os efeitos e me bastava ver aquela Roda para tudo entender, infindavelmente. Ó felicidade de entender, maior que a de imaginar ou a de sentir! Vi o universo e vi os desígnios íntimos do universo. Vi as origens que o Livro do Comum narra. Vi as montanhas que surgiram da água, vi os primeiros homens de pau, vi as barricas que se voltaram contra os homens, vi os cães que lhes destroçavam o rosto. Vi o deus sem rosto que existe atrás dos deuses. Vi infinitos processos que constituíam uma única felicidade e, entendendo tudo, consegui entender também a escrita do tigre.

É uma fórmula de catorze palavras casuais (que parecem casuais) e me bastaria dizê-la em voz alta para ser todo-poderoso. Bastaria dizê-la para abolir esta prisão de pedra, para que o dia entrasse em minha noite, para ser jovem, para ser imortal, para que o tigre destroçasse Alvarado, para cravar a santa faca em peitos espanhóis, para reconstruir a pirâmide, para reconstruir o império. Quarenta sílabas, catorze palavras, e eu, Tzinacán, regeria as terras que Montezuma regeu. Mas eu sei que nunca direi aquelas palavras, porque já não me lembro de Tzinacán.

Que morra comigo o mistério que está escrito nos tigres. Quem tenha entrevisto o universo, quem tenha entrevisto os ardentes desígnios do universo, não pode pensar num homem, em suas felicidades triviais ou em suas desventuras, embora esse homem seja ele. Esse homem *foi ele* e agora não lhe importa. Que lhe importa a sorte daquele outro, que lhe importa a nação daquele outro, se ele, agora, é ninguém. Por isso não pronuncio a fórmula, por isso deixo que os dias se esqueçam de mim, deitado na escuridão.

para Ema Risso Platero

aben hakam, o bokari, morto em seu labirinto

... são comparáveis à aranha que constrói uma casa.
Corão, XXIX, 40

— Esta — disse Dunraven com um gesto amplo que não recusava as estrelas nubladas e abarcava o negro planalto, o mar e um edifício majestoso e decrépito que parecia uma cavalariça decadente — é a terra de meus antepassados.

Unwin, seu companheiro, tirou o cachimbo da boca e emitiu sons modestos e aprobatórios. Era a primeira tarde do verão de 1914; fartos de um mundo sem a dignidade do perigo, os amigos apreciavam a solidão daqueles confins da Cornualha. Dunraven mantinha uma barba escura e se sabia autor de uma considerável epopeia que seus contemporâneos quase não poderiam escandir e cujo tema ainda não lhe fora revelado; Unwin publicara um estudo sobre o teorema que Fermat não escreveu à margem de uma página de Diofanto. Ambos — será preciso dizer? — eram jovens, distraídos e apaixonados.

— Deve fazer um quarto de século — disse Dunraven — que Aben Hakam, o Bokari, caudilho ou rei de não sei que tribo do Nilo, morreu na câmara central desta casa, por mãos de seu primo Said. Passaram-se anos, e as circunstâncias de sua morte continuam obscuras.

Docilmente, Unwin perguntou por quê.

— Por diversas razões — foi a resposta. — Em primeiro lugar, a casa é um labirinto. Em segundo, um escravo e um leão a vigiavam. Em terceiro, um tesouro secreto evaporou. Em quarto, o assassino estava morto quando o assassinato ocorreu. Em quinto...
Unwin, cansado, interrompeu-o.
— Não multiplique os mistérios — disse-lhe. — Eles devem ser simples. Lembre-se da carta roubada de Poe, do quarto fechado de Zangwill.
— Ou complexos — replicou Dunraven. — Lembre-se do universo.

Galgando colinas arenosas, tinham chegado ao labirinto. Este, de perto, pareceu-lhes uma parede reta e quase interminável, de tijolos sem reboco, pouco mais alta que um homem. Dunraven disse que tinha a forma de um círculo, mas tão extensa era a sua área que não se percebia a curvatura. Unwin lembrou Nicolau de Cusa, para quem toda linha reta é o arco de um círculo infinito... Por volta da meia-noite descobriram uma porta em ruínas que dava para um corredor cego e arriscado. Dunraven disse que no interior da casa havia muitas encruzilhadas, mas que, dobrando sempre à esquerda, chegariam em pouco mais de uma hora ao centro da rede. Unwin concordou. Os passos cautelosos ressoaram no chão de pedra; o corredor se bifurcou noutros mais estreitos. A casa parecia querer afogá-los, o teto era muito baixo. Tiveram de avançar um atrás do outro pela treva intrincada. Unwin ia na frente. Complicado por asperezas e quinas, fluía sem cessar contra sua mão o invisível muro. Unwin, lento na sombra, ouviu da boca do amigo a história da morte de Aben Hakam.

— Talvez a mais antiga de minhas lembranças —

contou Dunraven — seja a de Aben Hakam, o Bokari, no porto de Pentreath. Seguia-o um homem negro com um leão; sem dúvida o primeiro negro e o primeiro leão que meus olhos viram, afora as ilustrações da Escritura. Eu era menino então, mas a fera da cor do sol e o homem da cor da noite me impressionaram menos que Aben Hakam. Pareceu-me muito alto; era um homem de pele citrina, olhos pretos semicerrados, nariz insolente, lábios carnudos, barba açafranada, peito forte, andar seguro e silencioso. Em casa eu disse: "Chegou um rei num navio". Mais tarde, quando os pedreiros começaram a trabalhar, ampliei aquele título e lhe dei o de rei de Babel.

A notícia de que o forasteiro residiria em Pentreath foi recebida com agrado; a extensão e a forma de sua casa, com espanto e até escândalo. Parecia intolerável que uma casa tivesse apenas um cômodo e léguas e léguas de corredores. "Entre os mouros pode ser que usem tais casas, mas não entre cristãos", dizia o povo. Nosso reitor, o senhor Allaby, homem de curiosa leitura, exumou a história de um rei a quem a Divindade castigou por ter construído um labirinto e a divulgou do púlpito. Na segunda-feira, Aben Hakam visitou a reitoria; os pormenores da breve entrevista não foram conhecidos então, mas nenhum sermão ulterior aludiu à soberba, e o mouro pôde contratar pedreiros. Anos mais tarde, quando Aben Hakam pereceu, Allaby declarou às autoridades a substância do diálogo.

Aben Hakam disse-lhe, de pé, estas palavras ou outras parecidas: "Já ninguém pode censurar o que eu faço. As culpas que me infamam são tantas que, mesmo que eu repetisse durante séculos o Último Nome de Deus, isso não bastaria para mitigar um só de meus tormentos;

as culpas que me infamam são tantas que, mesmo que eu matasse com estas mãos, isso não agravaria os tormentos que a infinita Justiça me destina. Em terra alguma meu nome é desconhecido; sou Aben Hakam, o Bokari, e governei as tribos do deserto com cetro de ferro. Durante muitos anos, espoliei-as, com a assistência de meu primo Said, mas Deus ouviu o clamor das tribos e consentiu que se rebelassem. Minha gente foi desmantelada e apunhalada; eu consegui fugir com o tesouro acumulado em meus anos de espoliação. Said me guiou até o sepulcro de um santo, ao pé de uma montanha de pedra. Ordenei a meu escravo que vigiasse o lado do deserto; Said e eu dormimos, extenuados. Naquela noite imaginei que uma rede de serpentes me aprisionava. Acordei com horror; a meu lado, no alvorecer, Said dormia; o roçar de uma teia de aranha em minha carne me fizera sonhar aquele sonho. Desgostou-me que Said, que era covarde, dormisse com tanta tranquilidade. Considerei que o tesouro não era infinito e que ele poderia reclamar uma parte. Na minha cintura estava a adaga com empunhadura de prata; desnudei-a e lhe atravessei a garganta. Na agonia balbuciou algumas palavras que não consegui entender. Olhei para ele: estava morto, mas temi que se levantasse e ordenei ao escravo que lhe rebentasse o rosto com uma pedra grande. Depois ficamos vagando sob o céu e certo dia divisamos um mar. Navios muito altos sulcavam-no; pensei que um morto não poderia andar pela água e decidi buscar outras terras. Na primeira noite em que navegamos, sonhei que eu estava matando Said. Tudo se repetiu, mas eu entendi suas palavras. Ele dizia: 'Como agora me apagas, te apagarei onde estiveres'. Jurei frus-

trar aquela ameaça; me ocultarei no centro de um labirinto para que o fantasma se perca".
Dito isso, Aben Hakam se foi. Allaby procurou pensar que o mouro estava louco e que o absurdo labirinto era um símbolo e um claro testemunho dessa loucura. Depois refletiu que aquela explicação condizia com o extravagante edifício e com a extravagante narrativa, não com a enérgica impressão que dava o homem Aben Hakam. Talvez tais histórias fossem comuns nos areais egípcios, talvez tais esquisitices correspondessem (como os dragões de Plínio) menos a uma pessoa que a uma cultura... Allaby, em Londres, examinou vários números atrasados do *Times*; constatou a verdade da rebelião e de uma consequente derrota do Bokari e do vizir dele, que tinha fama de covarde.

Tão logo os pedreiros terminaram, Aben Hakam se instalou no centro do labirinto. Não foi mais visto no vilarejo; por vezes Allaby chegou a temer que Said já o tivesse agarrado e aniquilado. Durante as noites o vento nos trazia o rugido do leão, e as ovelhas do redil se comprimiam com um antigo medo.

Naves de portos orientais, rumo a Cardiff ou a Bristol, costumavam ancorar na pequena baía. O escravo descia do labirinto (que então, recordo, não era rosado, mas carmesim) e trocava palavras africanas com as tripulações e parecia procurar o fantasma do vizir em meio aos homens. Diziam que aquelas embarcações levavam contrabando, e, se de alcoóis ou marfins proibidos, por que não, também, de sombras de mortos?

Três anos após a construção da casa, ancorou ao pé das colinas o *Rose of Sharon*. Não fui dos que viram aquele veleiro e talvez na imagem que guardo dele tenham influído esquecidas litografias de Aboukir ou de Trafalgar, mas entendo que era desses barcos tão trabalhados que não parecem obra de armador, e sim de carpinteiro, e menos de carpinteiro que de ebanista. Era (se não na realidade, em meus sonhos) polido, escuro, silencioso e veloz; árabes e malaios compunham a tripulação.

Ancorou no alvorecer de um dos dias de outubro. Por volta do entardecer, Aben Hakam irrompeu na casa de Allaby. Dominava-o a paixão do terror; mal conseguiu articular que Said já havia entrado no labirinto e que seu escravo e seu leão tinham perecido. Perguntou, com seriedade, se as autoridades poderiam protegê-lo. Antes que Allaby respondesse, foi embora, como que arrebatado pelo mesmo terror que o trouxera àquela casa, pela segunda e última vez. Allaby, sozinho em sua biblioteca, pensou com espanto que, no Sudão, aquele medroso oprimira tribos de ferro e sabia o que é uma batalha e o que é matar. Percebeu, no dia seguinte, que o veleiro já zarpara (rumo a Suakin no mar Vermelho, conforme se averiguou mais tarde). Refletiu que seu dever era comprovar a morte do escravo e se dirigiu ao labirinto. O relato ofegante do Bokari lhe parecera fantástico, mas num cotovelo das galerias deu com o leão, e o leão estava morto, e noutro com o escravo, que estava morto, e na câmara central com o Bokari, cujo rosto fora arrebentado. Aos pés do homem havia uma arca marchetada de nácar; alguém forçara a fechadura e não restava nem uma única moeda.

Os períodos finais, sobrecarregados de pausas oratórias, queriam ser eloquentes; Unwin adivinhou que Dunraven os proferira muitas vezes, com idêntico aprumo e idêntica ineficácia. Indagou, para simular interesse:

— Como morreram o leão e o escravo?

A voz incorrigível respondeu com sombria satisfação:

— Também tinham arrebentado a cara deles.

Ao ruído dos passos veio se somar o ruído da chuva. Unwin pensou que teriam de dormir no labirinto, na câmara central da narrativa, e que na lembrança aquele longo incômodo seria uma aventura. Guardou silêncio; Dunraven não conseguiu se conter e lhe perguntou, como quem não perdoa uma dívida:

— Essa história não é inexplicável?

Unwin respondeu-lhe, como se pensasse em voz alta:

— Não sei se é explicável ou inexplicável. Sei que é mentira.

Dunraven prorrompeu em palavrões e invocou o testemunho do filho mais velho do reitor (Allaby, ao que parece, havia morrido) e de todos os habitantes de Pentreath. Não menos atônito que Dunraven, Unwin desculpou-se. O tempo, no escuro, parecia mais longo, os dois ficaram com medo de ter errado o caminho e estavam muito cansados quando uma tênue claridade superior lhes mostrou os degraus iniciais de uma escada estreita. Subiram e chegaram a um aposento redondo em ruínas. Dois signos do temor do malfadado rei perduravam: uma janela exígua que dominava o planalto e o mar e no piso um alçapão que se abria em cima da curva da escada. O aposento, embora espaçoso, tinha muito de cela carcerária.

Menos premidos pela chuva que pelo esforço de viver para a recordar e contar, os amigos passaram a noite no labirinto. O matemático dormiu com tranquilidade; não assim o poeta, acossado por versos que sua razão julgava detestáveis:

Faceless the sultry and overpowering lion,
Faceless the stricken slave, faceless the king.

Unwin acreditava que a história da morte do Bokari não o interessara, mas acordou com a convicção de tê-la decifrado. Todo aquele dia, ficou preocupado e arredio, ajustando e reajustando as peças, e duas noites depois marcou um encontro com Dunraven numa cervejaria de Londres e lhe disse estas palavras ou outras parecidas:

— Na Cornualha eu disse que era mentira a história que ouvi de você. Os *fatos* estavam corretos, ou podiam estar, mas, contados como você os contou, eram, obviamente, mentiras. Começarei pela maior mentira de todas, pelo incrível labirinto. Um fugitivo não se esconde num labirinto. Não constrói sobre um lugar alto da costa um labirinto carmesim que os marinheiros avistam de longe. Não precisa construir um labirinto, quando o universo já é um. Para quem verdadeiramente quer se esconder, Londres é um labirinto melhor que um mirante onde vão dar todos os corredores de um edifício. A sábia reflexão que agora lhe apresento me ocorreu na noite de ontem, enquanto ouvíamos a chuva sobre o labirinto e esperávamos que o sono nos visitasse; prevenido e aliviado por ela, optei por esquecer os seus absurdos e pensar em algo sensato.

— Na teoria dos conjuntos, digamos, ou numa quarta dimensão do espaço — observou Dunraven.

— Não — disse Unwin com seriedade. — Pensei no

labirinto de Creta. O labirinto cujo centro era um homem com cabeça de touro.

Dunraven, versado em obras policiais, pensou que a solução do mistério sempre é inferior ao mistério. O mistério participa do sobrenatural e até do divino; a solução, da prestidigitação. Para adiar o inevitável, disse:

— O minotauro aparece com cabeça de touro em medalhas e esculturas. Dante imaginou-o com corpo de touro e cabeça de homem.

— Também essa versão me serve — Unwin assentiu.

— O que importa é a correspondência da casa monstruosa com o habitante monstruoso. O minotauro justifica sobejamente a existência do labirinto. Ninguém dirá o mesmo de uma ameaça percebida num sonho. Evocada a imagem do minotauro (evocação fatal num caso em que há um labirinto), o problema, virtualmente, estava resolvido. No entanto, confesso que não entendi que essa antiga imagem fosse a chave e assim foi necessário que sua narrativa me sugerisse um símbolo mais preciso: a teia de aranha.

— A teia de aranha? — repetiu, perplexo, Dunraven.

— Sim. Não me assombraria nada que a teia (a forma universal da teia de aranha, entendamos bem, a teia de aranha de Platão) tivesse sugerido ao assassino (porque há um assassino) o crime. Você se lembrará de que o Bokari, numa tumba, sonhou com uma rede de serpentes e que, ao acordar, descobriu que uma teia de aranha lhe sugeria aquele sonho. Voltemos àquela noite em que o Bokari sonhou com uma rede. O rei vencido e o vizir e o escravo fogem pelo deserto com um tesouro. Refugiam-se numa tumba. Dorme o vizir, que sabemos ser covarde; não dorme o rei, que sabemos ser valente. O rei, para não compartilhar o tesouro com o vizir, mata-o com uma punhalada; a sombra dele ameaça o rei num sonho, noites depois. Tudo isso é inacreditável; eu entendo que os fatos aconteceram de outro jeito. Naquela noite dormiu o rei, o valente, e ficou velando Said, o covarde. Dormir é distrair-se do universo, e a distração é difícil para quem sabe que o perseguem com espadas nuas. Said, ávido, inclinou-se sobre o sono de seu rei. Pensou em matá-lo (talvez tenha brincado com o punhal), mas não se atreveu. Chamou o escravo, esconderam parte do tesouro na tumba, fugiram para Suakin e para a Inglaterra. Não para se esconder do Bokari, mas para atraí-lo e matá-lo, construiu à vista do mar o alto labirinto de muros rubros. Sabia que as naves levariam aos portos da Núbia a fama do homem vermelho, do escravo e do leão, e que, cedo ou tarde, o Bokari viria procurá-lo em seu labirinto. No último corredor da rede esperava o alçapão. O Bokari desprezava-o infinitamente; não se rebaixaria a ter o menor cuidado. O dia cobiçado chegou; Aben Hakam desembarcou na Inglaterra, caminhou até a porta do labirinto, baralhou os cegos corredores e já tinha pisado, talvez, os primeiros degraus quando seu vizir o matou, não sei se com um tiro, do alçapão. O escravo mataria o leão e outro tiro mataria o escravo. Em seguida Said rebentou os três rostos com uma pedra. Teve de agir assim; um único morto com o rosto desfeito teria sugerido um problema de identidade, mas a fera, o negro e o rei formavam uma série e, dados os dois termos iniciais, todos postulariam o último. Não é esquisito que estivesse dominado pelo medo quando falou com Allaby; acabava de executar a horrível tarefa e se dispunha a fugir da Inglaterra para reaver o tesouro.

Um silêncio pensativo, ou incrédulo, acompanhou as palavras de Unwin. Dunraven pediu outra caneca de cerveja preta antes de opinar.

— Aceito — disse — que meu Aben Hakam seja Said. Tais metamorfoses, você me dirá, são clássicos artifícios do gênero, são verdadeiras *convenções* cuja observância é exigida pelo leitor. O que resisto a admitir é a conjectura de que uma porção do tesouro tivesse ficado no Sudão. Lembre-se de que Said fugia do rei e dos inimigos do rei; é mais fácil imaginá-lo roubando todo o tesouro que demorando para enterrar uma parte. Talvez não tenham encontrado moedas porque não restavam moedas; os pedreiros teriam esgotado um caudal que, diferentemente do ouro vermelho dos Nibelungos, não era infinito. Teríamos assim um Aben Hakam atravessando o mar para reclamar um tesouro dilapidado.

— Dilapidado, não — disse Unwin. — Investido em armar em terra de infiéis uma grande armadilha circular de tijolo destinada a aprisioná-lo e aniquilá-lo. Said, se a sua conjectura for correta, procedeu premido pelo ódio e pelo temor, e não pela cobiça. Roubou o tesouro e depois compreendeu que o tesouro não era o essencial para ele. O essencial era que Aben Hakam perecesse. Simulou ser Aben Hakam, matou Aben Hakam e finalmente *foi Aben Hakam*.

— É — confirmou Dunraven. — Foi um vagabundo que, antes de ser ninguém na morte, recordaria ter sido um rei ou ter fingido ser um rei, um dia.

os dois reis e os dois labirintos[1]

Contam os homens dignos de fé (mas Alá sabe mais) que nos primeiros tempos houve um rei das ilhas da Babilônia que reuniu seus arquitetos e magos e os mandou construir um labirinto tão desconcertante e sutil, que os varões mais prudentes não se aventuravam a entrar, e os que entravam se perdiam. A obra era um escândalo, porque a confusão e a maravilha são operações próprias de Deus, e não dos homens. Com o passar do tempo veio à sua corte um rei dos árabes, e o rei da Babilônia (para zombar da simplicidade do hóspede) fez com que ele penetrasse no labirinto, onde perambulou ofendido e confuso até o cair da tarde. Então implorou socorro divino e deu com a porta. Seus lábios não proferiram queixa alguma, mas disse ao rei da Babilônia que ele na Arábia também tinha um labirinto que, se Deus fosse servido, lhe daria a conhecer algum dia. Depois voltou à Arábia, reuniu seus capitães e alcaides e devastou os reinos da Babilônia com tamanha boa sorte que arrasou seus castelos, dizimou sua gente e aprisionou o próprio rei. Amar-

---

[1] Esta é a história que o reitor divulgou do púlpito. Veja-se a página 113.

rou-o em cima de um camelo veloz e o levou para o deserto. Cavalgaram três dias, e disse-lhe: "Ó rei do tempo e substância e cifra do século!, na Babilônia desejaste que eu me perdesse num labirinto de bronze com muitas escadas, portas e muros; o Poderoso teve por bem que eu agora te mostre o meu, onde não há escadas a subir, nem portas a forçar, nem cansativas galerias a percorrer, nem muros para impedir a passagem".

Logo depois, desamarrou-o e o abandonou no meio do deserto, onde ele morreu de fome e de sede. A glória esteja com Aquele que não morre.

a espera

O coche deixou-o no 4004 da rua do Noroeste. Não tinham dado as nove da manhã; o homem notou com aprovação os plátanos manchados, o quadrado de terra ao pé de cada um, as casas confortáveis com balcãozinho, a farmácia contígua, os losangos desbotados da loja de tintas e ferragens. Um longo e cego paredão de hospital fechava a calçada defronte; o sol reverberava, mais adiante, em alguns jardins de inverno. O homem pensou que aquelas coisas (agora arbitrárias e casuais e em qualquer ordem, como as que se veem nos sonhos) seriam com o tempo, se Deus quisesse, invariáveis, necessárias e familiares. Na vidraça da farmácia liam-se em letras de louça: Breslauer; os judeus estavam desalojando os italianos, que haviam desalojado os da terra. Antes assim; o homem preferia não conviver com gente de seu sangue.

O cocheiro ajudou-o a descer o baú; uma mulher de ar distraído ou cansado abriu por fim a porta. Da boleia o cocheiro lhe devolveu uma das moedas, um vintém oriental que estava em seu bolso desde aquela noite no hotel de Melo. O homem entregou-lhe quarenta centavos, e ele sentiu no mesmo instante: "Tenho a obrigação de agir de maneira que todos se esqueçam de mim. Cometi dois erros: dei uma moeda de outro país e deixei ver que o engano me perturbou".

Precedido pela mulher, atravessou o corredor da entrada e o primeiro pátio. O quarto que tinham lhe reservado dava, felizmente, para um segundo. A cama era de ferro, e o artesão o deformara em curvas fantásticas, imitando ramos e pâmpanos; havia, também, um guarda-roupa de pinho, um criado-mudo, uma estante de livros ao rés do chão, duas cadeiras desemparelhadas e um lavatório com bacia, jarro, saboneteira e um garrafão de vidro turvo. Um mapa da província de Buenos Aires e um crucifixo enfeitavam as paredes; o papel era carmesim, com grandes pavões repetidos, com a cauda aberta. A única porta dava para o pátio. Foi preciso mudar a posição das cadeiras para dar espaço para o baú. O inquilino aprovou tudo; quando a mulher lhe perguntou como se chamava, disse Villari, não como um desafio secreto, não para mitigar uma humilhação que, na verdade, não sentia, mas porque aquele nome não funcionava, porque foi impossível para ele pensar em outro. Não o seduziu, certamente, o erro literário de imaginar que assumir o nome do inimigo podia ser uma astúcia.

O senhor Villari, no início, não saía de casa; passadas umas quantas semanas, deu de sair, por um momento, ao anoitecer. Certa noite entrou no cinema que ficava a três quadras. Não passou nunca da última fila; sempre se levantava um pouco antes do fim da sessão. Viu trágicas histórias do submundo; estas, sem dúvida, incluíam erros; estas, sem dúvida, incluíam imagens que também eram de sua vida anterior; Villari não os percebeu porque a ideia de uma coincidência entre a arte e a realidade era alheia a ele. Com docilidade, esforçava-se para gostar das coisas; queria se adiantar à intenção com que elas lhe eram mostradas. Diferentemente de quem lê romances, ele nunca se via como personagem da arte. Jamais recebeu nenhuma carta, nem sequer uma circular, mas lia com vaga esperança uma das seções do jornal. De tarde, encostava uma das cadeiras na porta e mateava circunspectamente, com os olhos postos na trepadeira do muro do sobrado contíguo. Anos de solidão haviam lhe ensinado que os dias, na memória, tendem a ser iguais, mas que não há um só dia, nem sequer de prisão ou de hospital, que não traga surpresas. Noutras reclusões cedera à tentação de contar os dias e as horas, mas aquela reclusão era diferente, porque não tinha fim — salvo se numa manhã o jornal trouxesse a notícia da morte de Alejandro Villari. Também era possível que Villari *já tivesse morrido* e então aquela vida seria um sonho. Essa possibilidade o inquietava, pois não chegou a entender se ela parecia alívio ou infelicidade; disse para si mesmo que era absurda e a repeliu. Em dias distantes, menos distantes pelo transcurso do tempo que por dois ou três fatos irrevogáveis, desejara muitas coisas, com amor sem escrúpulo; essa vontade poderosa, movida pelo ódio dos homens e pelo amor de uma mulher, já não queria coisas particulares: queria apenas perdurar, não ter fim. O sabor da erva, o sabor do tabaco escuro, o crescente fio de sombra que ia ganhando o pátio, eram estímulos suficientes.

Havia na casa um cão lobo, já velho. Villari fez amizade com ele. Falava com ele em espanhol, em italiano e nas poucas palavras que lhe restavam do rústico dialeto de sua infância. Villari procurava viver no puro presente, sem lembranças nem previsões; as primeiras tinham menos importância para ele que as últimas. Julgou intuir, obscuramente, que o passado é a substância de que é feito o tempo; por isso é que este se torna passado imediatamente. Seu cansaço, algum dia, pareceu felicidade; em momentos assim, ele não era muito mais complexo que o cachorro.

Certa noite, uma íntima descarga de dor no fundo da boca deixou-o assombrado e tremendo. Esse horrível milagre se repetiu em poucos minutos e outra vez por volta do alvorecer. Villari, no dia seguinte, mandou buscar um coche que o deixou no consultório do dentista do bairro do Once. Ali lhe extraíram o molar. Naquele transe não foi mais covarde nem mais sereno que outras pessoas.

Noutra noite, ao voltar do cinema, sentiu que o empurravam. Com raiva, com indignação, com secreto alívio, encarou o insolente. Cuspiu contra ele um xingamento soez; o outro, atônito, balbuciou uma desculpa. Era um homem alto, jovem, de cabelo escuro, acompanhado de uma mulher de tipo alemão; Villari, naquela noite, repetiu para si mesmo que não os conhecia. No entanto, quatro ou cinco dias se passaram antes que saísse à rua.

Entre os livros da estante havia uma *Divina comédia*, com o velho comentário de Andreoli. Premido menos pela curiosidade que por um sentimento de dever, Villari empreendeu a leitura dessa obra capital; antes de jantar, lia um canto, e depois, em ordem rigorosa, as notas. Não julgou inverossímeis ou excessivos os castigos infernais e não pensou que Dante o teria condenado ao último círculo, onde os dentes de Ugolino roem infindavelmente a nuca de Ruggieri.

Os pavões do papel carmesim pareciam destinados a alimentar pesadelos tenazes, mas o senhor Villari nunca sonhou com um caramanchão monstruoso feito de inextricáveis pássaros vivos. Nas madrugadas sonhava um sonho de fundo igual e pormenores variáveis. Dois homens e Villari entravam com revólveres no quarto ou o agrediam ao sair do cinema ou eram, os três ao mesmo tempo, o desconhecido que o tinha empurrado, ou o esperavam tristemente no pátio e pareciam não conhecê-lo. No fim do sonho, ele tirava o revólver da gaveta do criado-mudo contíguo (e é verdade que naquela gaveta guardava um revólver) e o descarregava contra os homens. O estrondo da arma o acordava, mas sempre era um sonho e noutro sonho o ataque se repetia e noutro sonho tinha de tornar a matá-los.

Numa turva manhã do mês de julho, a presença de gente desconhecida (não o ruído da porta quando a abriram) acordou-o. Altos na penumbra do quarto, curiosamente simplificados pela penumbra (sempre nos sonhos do medo eram mais claros), vigilantes, imóveis e pacientes, com os olhos baixos como se o peso das armas os encurvasse, Alejandro Villari e um desconhecido o haviam encontrado, finalmente. Com um sinal pediu-lhes que esperassem e se virou para a parede, como se retomasse o sono. Terá feito isso para despertar a misericórdia daqueles que o mataram, ou porque é menos duro suportar um acontecimento terrível que imaginá-lo e aguardá-lo infindavelmente, ou — e isto é talvez o mais verossímil — para que os assassinos fossem um sonho, como já tinham sido tantas vezes, no mesmo lugar, na mesma hora?

Naquela magia estava quando o apagou a descarga.

o homem
no umbral

Bioy Casares trouxe de Londres um curioso punhal de lâmina triangular e empunhadura em forma de H; nosso amigo Christopher Dewey, do Conselho Britânico, disse que tais armas eram comumente usadas no Hindustão. Essa afirmação animou-o a mencionar que tinha trabalhado naquele país, entre as duas guerras. (*Ultra Auroram et Gangem*, recordo que disse em latim, citando equivocadamente um verso de Juvenal.) Das histórias que contou naquela noite, atrevo-me a reconstruir a que segue. Meu texto será fiel: livre-me Alá da tentação de acrescentar breves traços circunstanciais ou de acentuar, com interpolações de Kipling, o matiz exótico da narrativa. Esta, além do mais, tem um sabor antigo e simples, talvez o d'*As mil e uma noites*, que seria uma pena perder.

A geografia exata dos fatos que vou relatar tem pouca importância. Além disso, que precisão podem manter em Buenos Aires nomes como Amritsar ou Udh? Basta, pois, dizer que naqueles anos houve distúrbios numa cidade muçulmana e que o governo central enviou um homem forte para impor a ordem. O homem era escocês, de um ilustre clã de guerreiros, e trazia no sangue uma tradição de violência. Uma única vez meus olhos o viram, mas não esquecerei o cabelo muito preto, os pômulos salientes, o nariz ávido e a boca, os ombros largos, a forte ossatura de *viking*. David Alexander Glencairn será o seu nome esta noite na minha história; os dois nomes são convenientes, porque foram de reis que governaram com cetro de ferro. David Alexander Glencairn (terei de me habituar a chamá-lo assim) era, desconfio, um homem temido; o mero anúncio de sua chegada bastou para apaziguar a cidade. Isso não o impediu de decretar diversas medidas enérgicas. Alguns anos passaram. A cidade e o distrito estavam em paz: *sikhs* e muçulmanos tinham abandonado as antigas discórdias e de repente Glencairn desapareceu. Naturalmente, não faltaram boatos de que o haviam sequestrado ou matado.

Soube dessas coisas por meu chefe, uma vez que a censura era rígida e os jornais não comentaram (nem sequer registraram, que eu me lembre) o desaparecimento de Glencairn. Um provérbio diz que a Índia é maior que o mundo; Glencairn, talvez onipotente na cidade que uma assinatura ao pé de um decreto lhe destinou, era um simples número nas engrenagens da administração do Império. As investigações da polícia local foram completamente inúteis; meu chefe pensou que um investigador particular poderia infundir menos receio e obter mais êxito. Três ou quatro dias mais tarde (as distâncias na Índia são generosas) eu exauria sem maior esperança as ruas da opaca cidade que escamoteara um homem.

Senti, quase de imediato, a infinita presença de uma conjuração para ocultar o paradeiro de Glencairn. "Não há uma só alma nesta cidade", cheguei a suspeitar, "que não saiba o segredo e não tenha jurado guardá-lo." Quase todos, quando interrogados, professavam uma ilimitada ignorância; não sabiam quem era Glencairn, nunca o viram, jamais ouviram falar dele. Outros, em compensação, o tinham divisado quinze minutos antes falando com fulano de tal, e até me acompanhariam à casa onde os dois entraram, e onde nada se sabia deles, ou que haviam acabado de deixar naquele momento. Num daqueles mentirosos precisos, dei um soco na cara. As testemunhas aprovaram minha desenvoltura, e fabricaram outras mentiras. Não acreditei nelas, mas não me atrevi a não ouvi-las. Uma tarde deixaram para mim um envelope com uma tira de papel em que havia alguns endereços...

O sol tinha declinado quando cheguei. O bairro era popular e humilde; a casa, muito baixa; da calçada entrevi uma sucessão de pátios de terra e na direção do fundo uma claridade. No último pátio se celebrava não sei que festa muçulmana; um cego entrou com um alaúde de madeira avermelhada.

A meus pés, imóvel como uma coisa, de cócoras no umbral, estava um homem muito velho. Direi como era, porque é parte essencial da história. Os muitos anos o tinham reduzido e polido como fazem as águas com uma pedra ou as gerações humanas com uma sentença. Longos farrapos cobriam-no, ou assim me pareceu, e o turbante que lhe rodeava a cabeça era um trapo a mais. No crepúsculo, ergueu para mim um rosto escuro e uma barba muito branca. Falei com ele sem preâmbulos, porque já havia perdido toda esperança, de David Alexander Glencairn. Não me entendeu (talvez não tenha me ouvido) e tive de lhe explicar que Glencairn era um juiz e que eu o procurava. Senti, ao dizer aquelas palavras, quão irrisório era interrogar aquele homem antigo, para quem o presente era apenas um indefinido rumor. "Notícias da Rebelião ou de Akbar aquele homem podia dar", pensei, "não de Glencairn." O que ele me disse confirmou minha suspeita.

— Um juiz! — articulou com tênue assombro. — Um juiz que se perdeu e que procuram. O fato aconteceu quando eu era menino. Não sei de datas, mas Nikal Seyn (Nicholson) ainda não tinha morrido diante da muralha de Délhi. O tempo que se foi fica na memória; sem dúvida sou capaz de resgatar o que aconteceu então. Deus tinha permitido, em sua cólera, que o povo se corrompesse; as bocas estavam cheias de maldição, enganos e fraude. No entanto, nem todos eram perversos e, quando se apregoou que a rainha ia mandar um homem para executar neste país a lei da Inglaterra, os menos maus se alegraram, porque sentiram que a lei é melhor que a desordem. Chegou o cristão e não tardou a prevaricar e oprimir, a paliar delitos abomináveis e a vender decisões. Não o culpamos, no início; a justiça inglesa que ele administrava não era conhecida de ninguém e os aparentes atropelos do novo juiz talvez correspondessem a razões secretas válidas. "Tudo terá justificativa em seu livro", queríamos pensar, mas sua afinidade com todos os maus juízes do mundo era por demais notória, e afinal tivemos de admitir que era simplesmente um malvado. Chegou a ser um tirano e a pobre gente (para se vingar da errônea esperança que algum dia depositaram nele) deu de brincar com a ideia de sequestrá-lo e submetê-lo a julgamento. Falar não basta; das intenções tiveram de passar aos atos. Ninguém, talvez, afora os muito simples ou os muito jovens, acreditou que aquele propósito temerário pudesse ser levado a cabo, mas milhares de *sikhs* e de muçulmanos cumpriram a palavra e certo dia executaram, incrédulos, o que para cada um deles parecera impossível. Sequestraram o juiz e lhe deram por prisão uma chácara num subúrbio afastado. Depois, entraram em acordo com os indivíduos prejudicados por ele, ou (em alguns casos) com os órfãos e as viúvas, porque a espada do algoz não tinha descansado naqueles anos. Por fim — isto foi talvez o mais árduo — procuraram e nomearam um juiz para julgar o juiz.

Aqui foi interrompido por algumas mulheres que entravam na casa.

Depois prosseguiu, lentamente:

— Dizem que não há geração que não inclua quatro homens retos que secretamente escoram o universo e o justificam diante do Senhor; um desses varões teria sido o juiz mais perfeito. Mas onde encontrá-los, se andam perdidos pelo mundo e anônimos e não podem ser reconhecidos quando vistos e nem eles mesmos sabem o alto ministério que cumprem? Alguém então opinou que, se o destino nos proibia os sábios, era preciso buscar os insensatos. Essa opinião prevaleceu. Alcoranistas, doutores da lei, *sikhs* que têm o nome de leões e adoram um Deus, hindus que adoram multidões de deuses, monges de Mahavira que ensinam que a forma do universo é a de um homem com as pernas abertas, adoradores do fogo e judeus negros integraram o tribunal, mas o último veredicto foi encomendado ao arbítrio de um louco.

Aqui foi interrompido por algumas pessoas que iam embora da festa.

— De um louco — repetiu — para que a sabedoria de Deus falasse por sua boca e envergonhasse a soberba humana. O nome dele se perdeu ou nunca se soube, mas andava nu por estas ruas, ou coberto de farrapos, contando os dedos com o polegar e zombando das árvores. Meu bom senso se rebelou. Eu disse que entregar a um louco a decisão era invalidar o processo.

— O acusado aceitou o juiz — foi a resposta. — Talvez tenha compreendido que, dado o perigo que os conjurados corriam se o deixassem em liberdade, só de um louco podia não esperar sentença de morte. Ouvi que ele riu quando lhe disseram quem era o juiz. Muitos dias e noites durou o processo, pelo grande número de testemunhas.

Calou-se. Uma preocupação o perturbava. Para dizer alguma coisa, perguntei quantos dias.

— Pelo menos dezenove — replicou.

Gente que ia embora da festa tornou a interrompê-lo; o vinho é proibido para os muçulmanos, mas os rostos e as vozes pareciam de bêbados. Um gritou algo para ele ao passar.

— Dezenove dias, precisamente — retificou. — O cão infiel ouviu a sentença, e a faca se saciou em sua garganta.

Falava com alegre ferocidade. Com outra voz pôs fim à história:

— Morreu sem medo; nos mais vis há alguma virtude.

— Onde aconteceu o que contaste? — perguntei-lhe.

— Numa chácara?

Pela primeira vez me olhou nos olhos. Depois esclareceu com vagar, medindo as palavras:

— Eu disse que o prenderam numa chácara, não que o tivessem julgado lá. Foi nesta cidade que o julgaram: numa casa como todas, como esta. Uma casa não pode diferir de outra: o que importa é saber se está construída no inferno ou no céu.

Perguntei-lhe pelo destino dos conjurados.

— Não sei — disse-me com paciência. — Essas coisas ocorreram e foram esquecidas há muitos anos, já. Talvez tenham sido condenados pelos homens, mas não por Deus.

Dito isso, levantou-se. Senti que suas palavras me despediam e que eu tinha acabado para ele, desde aquele momento. Uma turba feita de homens e mulheres de todas as nações do Punjab se espalhou, rezando e cantando, ao nosso redor, e quase nos varreu: espantou-me que de pátios tão estreitos, que eram pouco mais que corredores compridos, pudesse sair tanta gente. Outros saíam das casas da vizinhança; sem dúvida tinham pulado os muros... À força de empurrões e imprecações consegui abrir caminho. No último pátio cruzei com um homem nu, coroado de flores amarelas, a quem todos beijavam e acarinhavam, e com uma espada na mão. A espada estava suja, porque levara a morte a Glencairn, cujo cadáver mutilado encontrei nas cavalariças do fundo.

o aleph

*O God!, I could be bounded in a nutshell
and count myself a King of infinite space.*

Hamlet, II, 2

*But they will teach us that Eternity is the Standing still
of the Present Time, a Nunc Stans (as the Schools call it);
which neither they, nor any else understand, no more than
they would a* Hic Stans *for an Infinite greatness of Place.*

Leviathan, IV, 46

Na candente manhã de fevereiro em que Beatriz Viterbo morreu, depois de uma imperiosa agonia que em nenhum instante se rebaixou ao sentimentalismo ou ao medo, notei que os porta-cartazes de ferro da praça Constitución tinham renovado não sei que anúncio de cigarros; o fato me tocou, pois compreendi que o incessante e vasto universo já se afastava dela e que aquela mudança era a primeira de uma série infinita. Poderá mudar o universo, mas não eu, pensei com melancólica vaidade; certa vez, bem sei, minha vã devoção a exasperara; depois de morta, eu podia me consagrar à sua memória, sem esperança, mas também sem humilhação. Considerei que o aniversário dela era em 30 de abril; visitar naquele dia a casa da rua Garay para cumprimentar seu pai e Carlos Argentino Daneri, seu primo-irmão, era um ato de cortesia irrepreensível, talvez inevitável. De novo ficaria esperando durante o crepúsculo na salinha abarrotada, de novo ficaria estudando os pormenores daqueles numerosos retratos. Beatriz Viterbo, de perfil, em cores; Beatriz, de máscara, no Carnaval de 1921; a primeira comunhão de Beatriz; Beatriz, no dia de seu casamento com Roberto Alessandri; Beatriz, pouco depois do divórcio, num almoço do Clube Hípico; Beatriz, em Quilmes, com Delia San Marco Porcel e Carlos Argentino; Beatriz, com o pequinês que Villegas Haedo lhe dera de presente; Beatriz, de frente e de viés, sorrindo, com a mão no queixo... Não seria obrigado, como noutras vezes, a justificar minha presença com acanhados presentes de livros: livros cujas páginas, por fim, aprendi a cortar, para não constatar, meses depois, que estavam intactos.

Beatriz Viterbo morreu em 1929; desde então, não deixei passar um 30 de abril sem voltar à casa dela. Costumava chegar às sete e quinze e ficar uns vinte e cinco minutos; todo ano aparecia um pouco mais tarde e ficava um pouco mais; em 1933, uma chuva torrencial me favoreceu: tiveram de me convidar para jantar. Não desperdicei, como é natural, aquele precedente; em 1934, apareci, já depois das oito, com um alfajor de Santa Fe; com toda a naturalidade, fiquei para jantar. Assim, em aniversários melancólicos e inutilmente eróticos, ouvi as graduais confidências de Carlos Argentino Daneri.

Beatriz era alta, frágil, levemente curvada; havia em seu andar desajeitado (se o oximoro for tolerável) uma graça, um princípio de êxtase; Carlos Argentino é rosado, corpulento, encanecido, de traços finos. Exerce não sei que cargo subalterno numa biblioteca ilegível dos arrabaldes do Sul; é autoritário, mas também ineficiente; até bem pouco, aproveitava as noites e as festas para não sair de casa. A duas gerações de distância, o *s* italiano e a exuberante gesticulação italiana sobrevivem nele. Sua atividade mental é contínua, apaixonada, versátil e inteiramente insignificante. É pródiga em inúteis analogias e escrúpulos ociosos. Tem (como Beatriz) bonitas mãos, grandes e afiladas. Durante alguns meses permaneceu obcecado por Paul Fort, menos por suas baladas que pela ideia de uma glória inatacável. "É o Príncipe dos poetas de França", repetia com fatuidade. "Em vão você se voltará contra ele; a mais envenenada de suas setas não o atingirá."

No dia 30 de abril de 1941, permiti-me acrescentar ao alfajor uma garrafa de conhaque nacional. Carlos Argentino provou-o, achou-o interessante e empreendeu, depois de algumas taças, uma defesa do homem moderno.

— Eu o evoco — disse com uma animação um tanto inexplicável — em seu gabinete de estudo, como se disséssemos na torre albarrã de uma cidade, equipado com telefones, telégrafos, fonógrafos, aparelhos de radiotelefonia, cinemas, lanternas mágicas, glossários, horários, prontuários, boletins...

Observou que para um homem assim preparado o ato de viajar era inútil; nosso século XX havia transformado a fábula de Maomé e a montanha; as montanhas, agora, convergiam para o moderno Maomé.

Tão ineptas me pareceram aquelas ideias, tão pomposa e tão longa sua exposição, que as relacionei imediatamente com a literatura; perguntei-lhe por que não as escrevia. Previsivelmente, respondeu que já o fizera: aqueles conceitos, e outros não menos novidadeiros, figuravam no Canto Augural, Canto Prologal ou simplesmente Canto-Prólogo de um poema em que trabalhava havia muitos anos, sem *réclame*, sem burburinho ensurdecedor, sempre apoiado nesses dois cajados que se chamam trabalho e isolamento. Primeiro abria as comportas para a imaginação; em seguida fazia uso da lima. O poema se intitulava "A Terra"; tratava-se de uma descrição do planeta, em que não faltavam, decerto, a digressão pitoresca e a galharda apóstrofe. Pedi-lhe que lesse uma passagem para mim, ainda que breve. Abriu uma gaveta da escrivaninha, tirou um alto maço de folhas de bloco gravadas com o timbre da Biblioteca Juan Crisóstomo Lafinur e leu com sonora satisfação:

Pude ver, como o grego, as urbes dos homens,
Os trabalhos, os dias de vária luz, a fome;
Não corrijo os fatos, não falseio os nomes,
Mas le voyage *que conto é...* autour de ma chambre.

— Estrofe, a qualquer título, interessante — pontificou. — O primeiro verso granjeia o aplauso do catedrático, do acadêmico, do helenista, quando não dos eruditos em filigranas, setor considerável da opinião; o segundo passa de Homero a Hesíodo (toda uma homenagem implícita, na fachada do flamante edifício, ao pai da poesia didática), não sem renovar um procedimento cujo avoengo está na Escritura, a enumeração, congérie ou conglobação; o terceiro — barroquismo, decadentismo, culto depurado e fanático da forma? — consta de dois hemistíquios gêmeos; o quarto, francamente bilíngue, me garante o apoio incondicional de todo espírito sensível aos estímulos desenvoltos da facécia. Nada direi da rima rara nem da ilustração que me permite — sem pedantismo! — acumular em quatro versos três alusões eruditas que abrangem trinta séculos de densa literatura: a primeira à *Odisseia*, a segunda a *Os trabalhos e os dias*, a terceira à imortal bagatela que nos propiciaram os ócios da pena do saboiano... Compreendo uma vez mais que a arte moderna exige o bálsamo do riso, o *scherzo*. Decididamente, Goldoni tem a palavra! Leu muitas outras estrofes, que também obtiveram sua aprovação e seu profuso comentário. Nada de memorável havia nelas; nem sequer as julguei muito piores que a anterior. Em sua escrita tinham colaborado a aplicação, a resignação e o acaso; as virtudes que Daneri lhes atribuía eram posteriores. Compreendi que o trabalho do poeta não estava na poesia; estava na invenção de razões para que a poesia fosse admirável; naturalmente, esse trabalho ulterior modificava a obra para ele, não para os demais. A dicção oral de Daneri era extravagante; sua inabilidade métrica o impediu, salvo poucas vezes, de transmitir essa extravagância ao poema.[1]

Uma única vez na vida tive ocasião de examinar os quinze mil dodecassílabos do *Polyolbion*, aquela epopeia topográfica em que Michael Drayton registrou a fauna, a flora, a hidrografia, a orografia, a história militar e monástica da Inglaterra; não tenho dúvida de que esse produto considerável, mas limitado, é menos tedioso que

---

[1] Lembro, contudo, estas linhas de uma sátira em que fustigou com rigor os maus poetas:

Um dá ao poema belicosa armadura
De erudição; outro lhe dá pompas e galas.
Ambos batem em vão as ridículas asas...
Esqueceram-se, coitados, do fator FORMOSURA!

Somente o temor de criar para si um exército de inimigos implacáveis e poderosos o dissuadiu (disse-me) de publicar sem medo o poema.

o vasto empreendimento congênere de Carlos Argentino. Este se propunha versificar toda a esfera do planeta; em 1941 já tinha despachado alguns hectares do estado de Queensland, mais de um quilômetro do curso do Ob, um gasômetro ao norte de Veracruz, as principais casas de comércio da paróquia de Concepción, a chácara de Mariana Cambaceres de Alvear na rua Once de Setiembre, em Belgrano, e um estabelecimento de banhos turcos não distante do renomado aquário de Brighton. Leu-me certas penosas passagens da zona australiana de seu poema; esses longos e informes alexandrinos careciam da relativa agitação do prefácio. Transcrevo uma estrofe:

Saibam. À mão direita do poste rotineiro
(Para quem vem, claro está, do nor-noroeste)
Uma carcaça se aborrece — Cor? Branquiceleste —
Que dá aspecto de ossário aos currais de carneiro.

— Duas audácias — gritou exultante — resgatadas, ouço-o resmungar, pelo sucesso! Tenho de admitir, tenho de admitir. Uma, o epíteto *rotineiro*, que denuncia, certeiramente, *en passant*, o inevitável tédio inerente às lides agropastoris, tédio que nem as *Geórgicas* nem nosso já laureado *Don Segundo* jamais se atreveram a denunciar assim, em carne viva. Outra, o enérgico prosaísmo "uma carcaça se aborrece", que o melindroso vai querer excomungar com horror mas que o crítico de gosto viril vai apreciar mais que a própria vida. Todo o verso, além disso, é do mais elevado quilate. O segundo hemistíquio trava animadíssimo diálogo com o leitor; antecipa-se à sua viva curiosidade, colocando-lhe uma pergunta na

ponta da língua e respondendo-a... no mesmo instante.
E que me diz deste achado, "branquiceleste"? O pitoresco
neologismo *sugere* o céu, que é um fator importantíssimo
da paisagem australiana. Sem essa evocação tornar-se-
-iam demasiado sombrias as tintas do esboço e o leitor se
veria compelido a fechar o volume, com a alma ferida no
mais íntimo de incurável e negra melancolia.
  Por volta da meia-noite me despedi.
  Dois domingos depois, Daneri me ligou, creio que
pela primeira vez na vida. Propôs que nos reuníssemos
às quatro, "para tomar leite juntos no salão-bar contíguo
que o progressismo de Zunino e Zungri — os proprietá-
rios de minha casa, como você se lembrará — está inau-
gurando na esquina; confeitaria que valerá a pena você
conhecer". Aceitei, com mais resignação que entusiasmo.
Foi difícil encontrarmos mesa; o "salão-bar", inexoravel-
mente moderno, era apenas um pouco menos infame que
minhas previsões; nas mesas vizinhas, o público excitado
mencionava as despesas sem regatear a Zunino e Zungri.
Carlos Argentino fingiu se assombrar com não sei que
primores da instalação da luz (que, sem dúvida, já conhecia) e me disse com certa severidade:
  — Você terá de reconhecer, mesmo contra a vontade,
que este local se ombreia com os mais chiques de Flores.
  Depois, releu para mim quatro ou cinco páginas do
poema. Corrigira-as de acordo com um mau princípio de
ostentação verbal: onde antes escrevera *azulado*, agora era
pródigo em *azulino, azulego* e até *azulito*. A palavra *lei-
toso* não era suficientemente feia para ele; na impetuosa
descrição de um lavadouro de lã, preferia *lácteo, lacticolor,
lactescente, leitar...* Atacou com amargor os críticos; depois,

mais benigno, comparou-os àquelas pessoas "que não dispõem de metais preciosos nem de prensas a vapor, laminadores e ácidos sulfúricos para cunhar tesouros, mas que são capazes de *indicar* a *outros o lugar* de um tesouro". Ato contínuo, censurou a *prologomania* "de que fez mofa, no donairoso prefácio do *Quixote*, o Príncipe dos Engenhos". Admitiu, contudo, que na portada da nova obra era conveniente um prólogo vistoso, o respaldo assinado por uma pena de escol, de peso. Acrescentou que pensava publicar os cantos iniciais de seu poema. Compreendi, então, o singular convite telefônico; o homem ia me pedir que prefaciasse sua mixórdia pedantesca. Meu temor acabou sendo infundado: Carlos Argentino observou, com admiração rancorosa, que não acreditava errar no epíteto ao qualificar de sólido o prestígio alcançado em todos os círculos por Álvaro Melián Lafinur, homem de letras, que, se eu me empenhasse, ficaria encantado de prologar o poema. Para evitar o mais imperdoável dos fracassos, eu tinha de me tornar o porta-voz de dois méritos incontestáveis: a perfeição formal e o rigor científico, "porque esse extenso jardim de tropos, de figuras, de ornatos não tolera um único detalhe que não confirme a severa verdade". Acrescentou que Beatriz sempre se distraíra com Álvaro.

Assenti, assenti profusamente. Esclareci, para maior verossimilhança, que não falaria com Álvaro na segunda-feira, mas na quinta: no pequeno jantar que costumava coroar toda reunião do Clube de Escritores. (Não há tais jantares, mas é irrefutável que as reuniões têm lugar às quintas, fato que Carlos Argentino Daneri podia comprovar nos jornais e que dotava a frase de certa realidade.) Disse, entre divinatório e sagaz, que, antes de abordar o tema do prólogo, descreveria o curioso plano da obra. Despedimo-nos; ao dobrar a rua Bernardo de Irigoyen, encarei com toda a imparcialidade os futuros que me restavam: *a*) falar com Álvaro e dizer-lhe que aquele primo-irmão de Beatriz (esse eufemismo explicativo me permitiria nomeá--la) tinha composto um poema que parecia estender até o infinito as possibilidades da cacofonia e do caos; *b*) não falar com Álvaro. Previ, lucidamente, que minha desídia optaria por *b*.

A partir de sexta-feira, desde a primeira hora o telefone começou a me inquietar. Indignava-me que aquele instrumento que certo dia reproduzira a voz irrecuperável de Beatriz pudesse se rebaixar a receptáculo das queixas inúteis e talvez coléricas daquele enganado Carlos Argentino Daneri. Felizmente, nada aconteceu — exceto o rancor inevitável inspirado por aquele homem que me impusera uma delicada gestão e pouco depois me esquecia.

O telefone deixou de aterrorizar, mas, no fim de outubro, Carlos Argentino falou comigo. Estava agitadíssimo; a princípio não identifiquei sua voz. Com tristeza e raiva balbuciou que aqueles ilimitados Zunino e Zungri, a pretexto de ampliar sua desmedida confeitaria, iam demolir a casa dele.

— A casa de meus pais, a minha casa, a velha casa inveterada da rua Garay! — repetiu, talvez esquecendo seu pesar na melodia da frase.

Não foi muito difícil compartilhar sua aflição. Depois dos quarenta anos, toda mudança se torna símbolo detestável da passagem do tempo; além do mais, tratava-se de uma casa que, para mim, aludia infinitamente a Beatriz. Quis esclarecer esse delicadíssimo aspecto; meu interlocutor não me ouviu. Disse que, se Zunino e Zungri persistissem naquele propósito absurdo, o doutor Zunni, advogado dele, os processaria *ipso facto* por perdas e danos e os obrigaria a desembolsar cem mil pesos. O nome de Zunni impressionou-me; o escritório dele, na esquina da Caseros com a Tacuarí, é de uma seriedade proverbial. Indaguei se ele já se encarregara do assunto. Daneri disse que falaria com ele naquela mesma tarde. Vacilou e, com aquela voz neutra, impessoal, a que costumamos recorrer para confiar algo de muito íntimo, disse que, para terminar o poema, a casa era indispensável, pois num canto do porão havia um Aleph. Esclareceu que um Aleph é um dos pontos do espaço que contém todos os outros pontos.

— Está no porão da sala de jantar — explicou, com a dicção acelerada pela angústia. — É meu, é meu: eu o descobri quando criança, antes da idade escolar. A escada do porão é empinada, meus tios tinham me proibido de descer, mas alguém disse que havia um mundo no porão. Estava se referindo, só soube depois, a um baú, mas entendi que havia um mundo. Desci secretamente, rolei pela escada proibida, caí. Ao abrir os olhos, vi o Aleph.

— O Aleph? — repeti.

— Sim, o lugar onde estão, sem se confundirem, todos os lugares do planeta, vistos de todos os ângulos. Não revelei a ninguém minha descoberta, mas voltei. O menino não podia compreender que esse privilégio lhe fora concedido para que o homem burilasse o poema! Zunino e Zungri não me privarão dele, não e mil vezes não! De código em punho, o doutor Zunni provará que meu Aleph é *inalienável*.

Procurei refletir.

— Mas o porão não é muito escuro?

— A verdade não penetra num entendimento rebelde. Se todos os lugares da Terra estão no Aleph, aí estarão todas as luminárias, todas as lâmpadas, todas as fontes de luz.

— Vou vê-lo imediatamente.

Interrompi, antes que chegasse a formular uma proibição. Basta o conhecimento de um fato para no mesmo instante perceber uma série de traços confirmatórios, antes insuspeitados; fiquei assombrado de não ter compreendido até aquele momento que Carlos Argentino era louco. Todos aqueles Viterbo, além do mais... Beatriz (eu mesmo costumo repetir) era uma mulher, uma menina de uma clarividência quase implacável, mas havia nela negligências, distrações, desdéns, verdadeiras crueldades, que talvez exigissem uma explicação patológica. A loucura de Carlos Argentino me encheu de felicidade maligna; no íntimo, sempre nos detestáramos.

Na rua Garay, a empregada disse-me que tivesse a bondade de esperar. O menino estava, como sempre, no porão, revelando fotografias. Junto do jarrão sem uma flor, no piano inútil, sorria (mais intemporal que anacrônico) o grande retrato de Beatriz, em cores toscas. Ninguém podia nos ver; num desespero de ternura me aproximei do retrato e lhe disse:

— Beatriz, Beatriz Elena, Beatriz Elena Viterbo, Beatriz querida, Beatriz perdida para sempre, sou eu, sou eu, Borges.

Carlos entrou pouco depois. Falou com secura; compreendi que não era capaz de outro pensamento senão o da perda do Aleph.

— Uma tacinha do falso conhaque — ordenou — e você vai mergulhar no porão. Você já sabe, o decúbito dorsal é indispensável. E também o escuro, a imobilidade, certa acomodação ocular. Você se deita no piso de lajotas e fixa os olhos no décimo nono degrau da escada apropriada. Vou embora, baixo o alçapão e você fica sozinho. Algum roedor lhe dá medo, nenhum problema! Em poucos minutos você vê o Aleph. O microcosmo dos alquimistas e cabalistas, nosso concreto amigo proverbial, o *multum in parvo*!

Já na sala de jantar, acrescentou:

— É claro que, se você não o vir, sua incapacidade não vai invalidar meu testemunho... Desça; muito em breve você poderá travar um diálogo com *todas* as imagens de Beatriz.

Desci rapidamente, farto de suas palavras insubstanciais. O porão, pouco mais amplo que a escada, tinha muito de poço. Procurei em vão com o olhar o baú de que Carlos Argentino me falou. Uns caixotes com garrafas e uns sacos de lona atravancavam um canto. Carlos pegou um saco, dobrou-o e o acomodou num lugar preciso.

— O travesseiro é um pouco baixo — explicou —, mas, se eu o levantar um único centímetro, você não verá nem um pouquinho e vai ficar sem graça e envergonhado. Refestele no chão esse corpanzil e conte dezenove degraus.

Cumpri seus ridículos requisitos; por fim se foi. Fechou cautelosamente o alçapão; o escuro, apesar de uma fresta que depois descobri, chegou a me parecer total. Súbito compreendi o perigo que corria: havia me deixado soterrar por um louco, depois de tomar um veneno. As bravatas de Carlos deixavam transparecer o medo íntimo de que eu não visse o prodígio; Carlos, para defender seu delírio, para não saber que estava louco, *tinha de me matar.* Senti um confuso mal-estar que procurei atribuir à rigidez, e não à ação de um narcótico. Fechei os olhos, tornei a abri-los. Então vi o Aleph.

Chego, agora, ao centro inefável de meu relato; começa, aqui, meu desespero de escritor. Toda linguagem é um alfabeto de símbolos cujo exercício pressupõe um passado que os interlocutores compartilham; como transmitir aos outros o infinito Aleph que minha temerosa memória mal consegue abarcar? Os místicos, em transe análogo, multiplicam os emblemas: para significar a divindade, um persa fala de um pássaro que de alguma forma é todos os pássaros; Alanus de Insulis, de uma esfera cujo centro está em toda parte e a circunferência em nenhuma; Ezequiel, de um anjo de quatro faces que ao mesmo tempo se volta para o oriente e para o ocidente, para o norte e para o sul. (Não em vão rememoro essas inconcebíveis analogias; alguma relação têm com o Aleph.) Os deuses não me negariam, talvez, o achado de uma imagem equivalente, mas este informe ficaria contaminado de literatura, de falsidade. Além disso, o problema central é insolúvel: a enumeração, mesmo parcial, de um conjunto infinito. Naquele instante gigantesco, vi milhões de atos deleitáveis ou atrozes; nenhum me assombrou tanto como o fato de todos ocuparem o mesmo ponto, sem superposição e sem transparência. O que meus olhos viram foi simultâneo: o que transcreverei, sucessivo, porque a linguagem o é. Algo, contudo, recuperarei.

    Na parte inferior do degrau, à direita, vi uma pequena esfera furta-cor, de um fulgor quase intolerável. No início, julguei-a giratória; depois compreendi que esse movimento era uma ilusão produzida pelos vertiginosos espetáculos que encerrava. O diâmetro do Aleph seria de dois ou três centímetros, mas o espaço cósmico estava ali, sem diminuição de tamanho. Cada coisa (a lâmina do espelho, digamos) era infinitas coisas, porque eu a via claramente de todos os pontos do universo. Vi o mar populoso, vi a alvorada e a tarde, vi as multidões da América, vi uma teia de aranha prateada no centro de uma negra pirâmide, vi um labirinto truncado (era Londres), vi intermináveis olhos imediatos perscrutando-se em mim como num espelho, vi todos os espelhos do planeta e nenhum me refletiu, vi num pátio interno da rua Soler as mesmas lajotas que trinta anos antes vira no corredor de uma casa de Fray Bentos, vi cachos de uva, neve, tabaco, veios de metal, vapor de água, vi convexos desertos equatoriais e cada um de seus grãos de areia, vira em Inverness uma mulher que não esquecerei, vi a violenta cabeleira, o corpo altivo, vi um câncer no peito, vi um círculo de terra seca numa calçada onde antes havia uma árvore, vi uma chácara de Adrogué, um exemplar da primeira versão inglesa de Plínio, a de Philemon Holland, vi ao mesmo tempo cada letra de cada página (quando menino, eu costumava me maravilhar com o fato de as letras de um volume fechado não se misturarem nem se perderem no decorrer da noite), vi a noite e o dia contemporâneos, vi um poente em Querétaro que parecia refletir a cor de uma rosa em Bengala, vi meu quarto sem ninguém, vi num escritório de Alkmaar um globo terrestre entre dois espelhos multiplicado infindavelmente, vi cavalos de crina remoinhada numa praia do mar Cáspio ao alvorecer, vi a delicada ossatura de uma mão, vi os sobreviventes de uma batalha enviando cartões-postais, vi numa vitrine de Mirzapur um baralho espanhol, vi as sombras oblíquas de algumas samambaias no chão de um jardim de inverno, vi tigres, êmbolos, bisões, marulhos e exércitos, vi todas as formigas que há na Terra, vi um astrolábio persa, vi numa gaveta da escrivaninha (e a letra me fez tremer) cartas obscenas, incríveis, precisas, que Beatriz enviara a Carlos Argentino, vi um adorado monumento na Chacarita, vi a relíquia atroz do que deliciosamente havia sido Beatriz Viterbo, vi a circulação de meu sangue escuro, vi a engrenagem do amor e a transformação da morte, vi o Aleph, de todos os pontos, vi no Aleph a Terra, e na Terra outra vez o Aleph e no Aleph a Terra, vi meu rosto e minhas vísceras, vi teu rosto, e senti vertigem e chorei, porque meus olhos tinham visto aquele objeto secreto e conjectural cujo nome os homens usurpam mas que nenhum homem contemplou: o inconcebível universo.

 Senti infinita veneração, infinita pena.

 — Você deve ter ficado zonzo de tanto xeretar onde não é chamado — disse uma voz detestada e jovial. — Mesmo dando tratos à bola, você não me pagará num século esta revelação. Que observatório formidável, Borges, meu velho!

 Os sapatos de Carlos Argentino ocupavam o degrau superior. Na brusca penumbra, consegui me levantar e balbuciar:

 — Formidável. Sim, formidável.

 Estranhei a indiferença de minha voz. Ansioso, Carlos Argentino insistia:

 — Viu tudo bem, em cores?

 Naquele instante concebi minha vingança. Benévolo,

manifestamente apiedado, nervoso, evasivo, agradeci a Carlos Argentino Daneri a hospitalidade de seu porão e o instei a aproveitar a demolição da casa para se afastar da metrópole perniciosa que a ninguém — acredite-me, a ninguém! — perdoa. Neguei-me, com suave energia, a discutir o Aleph; abracei-o, ao me despedir, e lhe repeti que o campo e a serenidade são dois grandes remédios. Na rua, nas escadas da Constitución, no metrô, todos os rostos me pareceram familiares. Temi que não restasse uma só coisa capaz de me surpreender, temi que nunca mais me abandonasse a impressão de voltar. Felizmente, ao cabo de algumas noites de insônia, de novo agiu sobre mim o esquecimento.

Pós-escrito de 1º de março de 1943. Seis meses depois da demolição do imóvel da rua Garay, a Editora Procusto não se deixou intimidar pela extensão do considerável poema e lançou no mercado uma seleção de "trechos argentinos". É inútil repetir o ocorrido; Carlos Argentino Daneri recebeu o Segundo Prêmio Nacional de Literatura.[2] O primeiro foi concedido ao doutor Aita; o terceiro, ao doutor Mario Bonfanti; incrivelmente, minha obra *Os naipes do trapaceiro* não conseguiu um único voto. Uma vez mais, triunfaram a incompreensão e a inveja! Faz já muito tempo que não vejo Daneri; os jornais dizem que em breve nos dará outro volume. Sua pena afortunada

2 "Recebi sua condoída congratulação", escreveu-me. "Você está bufando, meu lamentável amigo, de inveja, mas confessará — embora seja um sufoco — que desta vez pude coroar meu boné com a mais vermelha das plumas; meu turbante, com o mais *califa dos rubis*."

(já não atrapalhada pelo Aleph) se dedicou a versificar os epítomes do doutor Acevedo Díaz. Quero acrescentar duas observações: uma, sobre a natureza do Aleph; outra, sobre o nome dele. Como se sabe, essa é a primeira letra do alfabeto da língua sagrada. Sua aplicação ao centro de minha história não parece casual. Para a cabala, a letra significa o En Soph, a ilimitada e pura divindade; também se disse que tem a forma de um homem que aponta para o céu e para a terra, indicando que o mundo inferior é o espelho e o mapa do superior; para a *Mengenlehre*, é o símbolo dos números transfinitos, em que o todo não é maior que uma das partes. Eu gostaria de saber: escolheu Carlos Argentino esse nome, ou o leu, *aplicado a outro ponto para onde convergem todos os pontos*, em algum dos inumeráveis textos que o Aleph de sua casa lhe revelou? Por incrível que pareça, creio que há (ou que houve) outro Aleph, creio que o Aleph da rua Garay era um falso Aleph.

Dou minhas razões. Por volta de 1867, o capitão Burton exerceu o cargo de cônsul britânico no Brasil; em julho de 1942, Pedro Henríquez Ureña descobriu numa biblioteca de Santos um manuscrito seu que versava sobre o espelho que o oriente atribui a Iskandar Zu al-Karnayn, o Alexandre Bicorne da Macedônia. No seu cristal se refletia o universo inteiro. Burton menciona outros artifícios congêneres — a sétupla taça de Kai Josru, o espelho que Tárik Benzeyad encontrou numa torre (*As mil e uma noites*, 272), o espelho que Luciano de Samósata chegou a examinar na Lua (*História verdadeira*, I, 26), a lança especular que o primeiro livro do *Satyricon* de Capella atribui a Júpiter, o espelho universal de Mer-

lin, "redondo e oco e semelhante a um mundo de vidro" (*The Faerie Queene*, III, 2, 19) — e acrescenta estas curiosas palavras: "Mas os anteriores (além do defeito de não existirem) são meros instrumentos de óptica. Os fiéis que acorrem à mesquita de Amr, no Cairo, sabem muito bem que o universo está no interior de uma das colunas de pedra que rodeiam o pátio central... Ninguém, é claro, pode vê-lo, mas aqueles que aproximam o ouvido da superfície afirmam perceber, em pouco tempo, seu agitado burburinho... A mesquita data do século VII; as colunas procedem de outros templos de religiões pré-islâmicas, pois, como escreveu Abenjaldun: 'Nas repúblicas fundadas por nômades, é indispensável o concurso de forasteiros para tudo o que seja alvenaria'".
Existe esse Aleph no fundo de uma pedra? Eu o vi quando vi todas as coisas e o esqueci? Nossa mente é porosa ao esquecimento; eu mesmo estou falseando e perdendo, sob a trágica erosão dos anos, os traços de Beatriz.

para Estela Canto

epílogo

À exceção de "Emma Zunz" (cujo argumento esplêndido, tão superior à sua execução temerosa, me foi dado por Cecilia Ingenieros) e da "História do guerreiro e da cativa", que se propõe interpretar dois fatos fidedignos, as peças deste livro correspondem ao gênero fantástico. De todas elas, a primeira é a mais trabalhada; seu tema é o efeito que a imortalidade causaria nos homens. A esse esboço de uma ética para imortais, segue-se "O morto"; Azevedo Bandeira, nessa narrativa, é um homem de Rivera ou de Cerro Largo e é também uma tosca divindade, uma versão mulata e rústica do incomparável Sunday de Chesterton. (O capítulo XXIX do *Decline and Fall of the Roman Empire* narra um destino parecido ao de Otálora, mas muito mais grandioso e mais incrível.) De "Os teólogos" basta escrever que constituem um sonho, um sonho propriamente melancólico, sobre a identidade pessoal; da "Biografia de Tadeo Isidoro Cruz", que é uma glosa do *Martín Fierro*. A uma tela de Watts, pintada em 1896, devo "A casa de Astérion" e o caráter do pobre protagonista. "A outra morte" é uma fantasia sobre o tempo que urdi à luz de algumas alegações de Pier Damiani.

Na última guerra ninguém pôde desejar mais que eu que a Alemanha fosse derrotada; ninguém pôde sentir mais que eu a tragédia do destino alemão; "Deutsches Requiem" quer entender esse destino que não souberam chorar, nem sequer suspeitar, nossos "germanófilos", que nada sabem da Alemanha. "A escrita do deus" foi generosamente julgada; o jaguar me obrigou a pôr na boca de um "mago da pirâmide de Qaholom" argumentos de cabalista ou de teólogo. Em "O Zahir" e "O Aleph" creio notar alguma influência do conto "The Cristal Egg" (1899), de Wells.

J. L. B.
Buenos Aires, 3 de maio de 1949

Pós-escrito de 1952. Incorporei quatro peças a esta reedição. "Aben Hakam, o Bokari, morto em seu labirinto" não é (me asseguram) memorável, apesar de seu título tremebundo. Podemos considerá-lo uma variação de "Os dois reis e os dois labirintos", que os copistas intercalaram n'*As mil e uma noites* e que o prudente Galland omitiu. De "A espera" direi que foi sugerido por uma crônica policial que Alfredo Doblas leu para mim, há uns dez anos, enquanto classificávamos livros segundo o manual do Instituto Bibliográfico de Bruxelas, código de que esqueci tudo, exceto que correspondia a Deus o número 231. O sujeito da crônica era turco; tornei-o italiano para intuí-lo com mais facilidade. A momentânea e repetida visão de um fundo cortiço que há na esquina da rua Paraná, em Buenos Aires, forneceu-me a história que se intitula "O homem no umbral"; situei-a na Índia para que sua inverossimilhança fosse tolerável.

J. L. B.

Esta obra foi composta em
Walbaum por warrakloureiro
e impressa em ofsete pela
Geográfica sobre papel
Pólen Bold da Suzano S.A.
para a Editora Schwarcz
em março de 2024

A marca FSC® é a garantia de que a madeira utilizada na fabricação do papel deste livro provém de florestas que foram gerenciadas de maneira ambientalmente correta, socialmente justa e economicamente viável, além de outras fontes de origem controlada.